（宋）蘇轍 撰　傅增湘 校

傅增湘校本欒城集

第十六册

國家圖書館出版社

第十六册目録

欒城應詔集

道光壬辰新鐫

欒城應詔集

板藏眉州三蘇祠

欒城應詔集目錄

禮義信足以成德

形勢不如德

禮以養人爲本

既醉備五福

史官助賞罰論

刑賞忠厚之至論

卷之十二

御試制科策一道

欒城應詔集卷第一

進論五首

眉山蘇　轍頴濵氏著

□□□夏論

聖人之道苟可以安於天下不求夫爲異也堯舜傳之賢而禹傳之子天下以爲禹無聖人而傳之而後授之其子孫也夫聖人之於天下不從其所安而爲之而求異夫天下之人何其用心之淺耶昔者湯有伊尹武王有周公而周公文王之子武王之弟也湯之太甲武之成王皆可以爲天下而湯不以予其臣武王不以予其弟誠以爲其子之才不至於亂天下者則無事乎授之他人而

以爲異也而天下之人何獨疑夫禹哉今夫人之愛其子是天下之通義也有得焉而思以與其子孫人情之所皆然也聖人以是爲不可易故從而聽之使之父子相繼而無相亂以至於堯堯舉其天下而授之舜舜得堯之天下而又授之禹舉天下而授之人此聖人之所以大過人而天下後世之所不能也天下後世之所不能而聖人獨爲之豈以爲異哉天下之人不能皆賢而有異人焉爲異而震之則天下皆將喜其名而失其眞故夫堯舜之傳賢者是不得已而然也使堯之丹朱舜之商均僅可以守天下而堯肯傳之舜舜肯傳之禹以爲異而疑天下哉然則禹之不以天下授

益非以益爲不足授也使天下復有禹子知禹之不以天下授之矣何者啟足以爲天下故也啟爲天下而益爲之佐是益不失爲伊尹周公其功猶可以及天下也聖人之不喜異也如此昔者嘗聞之魯人之法贖人者受金於府子貢贖人而不受賞夫子嘆曰嗟夫使魯之不復贖人者賜也夫贖人而不以爲功此君子之所以異於衆人者而其弊乃至於不贖是故聖人不喜異以其有時而窮也閔子終三年之喪見於夫子援琴而歌戚戚而不樂作而曰先王制禮弗敢過也子夏終三年之喪見於夫子取琴而鼓之其樂衎衎然作而曰先王制禮不敢不及也而夫子皆以爲賢

由此觀之聖人之行豈求勝夫天下之人哉亦有所守而已矣

商論

商之有天下者三十世，而周之世三十有七。商之既衰而復興者五王，而周之既衰而復興者宣王一人而已。夫商之多賢君，宜若其世之過於周；周之賢君不如商之多，而其久於商者乃數百歲，其故何也？蓋周公之治天下，務爲文章繁縟之禮，和柔馴擾天下剛毅之民，故其道本於尊尊而親親，貴老而慈幼，使民之父子相愛，兄弟相悅，以無犯上難制之氣，行其至柔之道，以揉天下之戾心，而去其剛毅勇果之政，故其享天下至久，而諸侯內侵，京師不振，卒於廢爲至弱之國。何者？優柔和易之道，可以爲久，而不可以爲彊也若夫商人之所以爲天下者不可復見矣竊常求之於詩書之間見夫詩之寛緩而和柔書之委曲而繁重者舉皆周也而商人之詩駿發而嚴厲其書簡潔而明肅以爲商人之風俗蓋在乎此矣夫惟天下之有剛彊不屈之俗也故其後世有以自振於衰微然至於其敗也一散而不可復止故夫物之彊者易以折而柔忍者可以久存柔者可以久存而常困於不勝彊者易以折而其末也乃可以有所立且此非聖人之罪也物莫不有所短方其盛也長用而短伏及其衰也長伏而短見夫聖人惟能就其所長而用之也是故當其盛時天下惟其長之知而不知其短之所在

及其後世用之不當其長日已消亡而短日出故夫能久者常不能彊能以自奮者常不能久此商之所以不長而周之所以不振也嗚呼聖人之於天下亦有所就而已蓋不能使之無弊也使之能久而不能彊能以自奮而不能以及遠此二者存乎其後世之賢與不賢也故太公封於齊尊賢而尚功周公曰後世必有篡奪之臣周公治魯親親而尊尊太公曰後世寖衰矣夫尊賢尚功則近於彊親親尊尊則近於弱終於齊有田氏之禍而魯人困於盟主之令蓋商之政近於齊而周公之所以治周者其所以治魯也故齊彊而魯弱魯未亡而齊亡也

周論

傳云夏之政尚忠商之政尚質周之政尚文而仲尼亦云周監於二代郁郁乎文哉吾從周讀詩書歷觀唐虞至於夏商蓋嘗以爲自生民以來天下未嘗一日而不趨於文也文之爲言猶曰萬物各得其理云爾父子君臣之間兄弟夫婦之際此文之所由起也昔者生民之初父子無義君臣無禮兄弟不相愛夫婦不相保天下紛然而淆亂忿鬬而相苦文理不著而人倫不明生不相養死不相葬天下之人舉皆戚然有所不寧於其心然後反而求其所安屬其父子而列其君臣聯其兄弟而正其夫婦至於虞夏之

世乃益去其鄙野之制然猶以天子之尊而飯土塯啜土鉶土階
三尺茅茨而不翦至於周而後大備其粗始於父子之際而其精
布於天下其用甚廣而無窮蓋其當時莫不自以爲文於前世而
其後之人乃更以爲質也是故祭祀之禮陳其籩豆列其鼎俎備
其醪醴俯伏以薦患其飲食醉飽之樂而不可見也於是灌用鬱
鬯藉用白茅既沃而莫之見以爲神之縮之也體魄降於地魂氣
升於天恍惚誕謾而不知其所由處聲音氣臭之類恐不能得當
也於是終祭於屋漏繹祭於祊以爲人子之心無所不至也薦之
以滋味重之以膾炙恐鬼神之不屑也薦之以血毛重之以體薦

恐父祖之不吾安也於是先黍稷而後稻粱先大羹而後庶羞以爲不敢忘禮亦不敢忘愛也丁寧反復優游而不忍去以爲可以盡人子之心而人子之心亦可以少安矣故凡世之所謂文者皆所以安夫人之所不安而人之所安者事之所當然也仲尼區區於衰周之末收先王之遺文而與曾子推論禮之所難處至於毫釐纖悉盡以爲王道之盛其文理當極於此焉耳及周之亡天下大壞強凌弱衆暴寡而後世乃以爲用文之弊夫自唐虞以至於商漸而入於文至周而文極於天下當唐虞夏商之世蓋將求周之文而其勢有所未至非有所謂質與忠也自周而下天下習於

文非文則無以安天下之所不足此其勢然也今夫冠婚喪祭而不爲之禮墓祭而不廟室祭而無所仁人君子有所不安於其中而曰不文以從唐虞夏商之質夫唐虞夏商之質蓋將以求周之文而未至者非所以爲法也

六國論

愚讀六國世家竊怪天下之諸侯以五倍之地十倍之衆發憤西向以攻山西千里之秦而不免於滅亡常爲之深思遠慮以爲必有可以自安之計葢未甞不咎其當時之士慮患之踈而見利之淺且不知天下之勢也夫秦之所與諸侯爭天下者不在齊楚燕趙也而在韓魏秦之有韓魏譬如人之有腹心之疾也韓魏塞秦之衝而蔽山東之諸侯故夫天下之所重者莫如韓魏也昔者范雎用於秦而收韓商鞅用於秦而收魏昭王未得韓魏之心而出兵以攻齊之剛壽而范雎以爲憂然則秦之所忌者可以見矣秦

之用兵於燕趙秦之危事也越韓過魏而攻人之國都燕趙拒之
於前而韓魏乘之於後此危道也而秦之攻燕趙未嘗有韓魏之
憂則韓魏之附秦故也夫韓魏諸侯之障而使秦人得出入於其
間此豈知天下之勢邪委區區之韓魏以當彊虎狼之秦彼安得
不折而入於秦哉韓魏折而入於秦然後秦人得通其兵於東諸
侯而使天下徧受其禍夫韓魏不能獨當秦而天下之諸侯藉之
以蔽其西故莫如厚韓親魏以擯秦秦人不敢逾韓魏以窺齊楚
燕趙之國而齊楚燕趙之國因得以自安於其間矣以四無事之
國佐當寇之韓魏使韓魏無東顧之憂而爲天下出身以當秦兵

以二國委秦而四國休息於內以陰助其急若此可以應夫無窮彼秦者將何爲哉不知出此而乃貪疆埸尺寸之利背盟敗約以自相屠滅秦兵未出而天下諸侯已自困矣至使秦人得伺其隙以取其國可不悲哉

秦論

秦人居諸侯之地而有萬乘之志侵辱六國斬伐天下不數十年之間而得志於海內至其後世再傳而遂亡劉季起於匹夫斬艾豪傑糜秦誅楚以有天下而其傳子孫數十世而不絕蓋秦漢之事其所以取者不同而其所以取之者無以相遠也然劉項奮臂於閭閻之中率天下蜂起之兵西嚮以攻秦無一成之聚一夫之衆驅罷弊適戍之人以求所非望得之則生失之則死以匹夫而圖天下其勢不得不疾戰以趨利是以冒萬死求一生而不顧今秦擁千里之地而櫜累世之業雖閉關而守之畜威養兵拊循士

民而諸侯誰敢謀秦觀天下之釁而後出兵以乘其斃天下夫誰敢抗而惠文武昭之君乃以萬乘之資而用匹夫所以圖天下之勢疾戰而不顧其後此宜其能以取天下而亦能以亡之也夫劉項之勢天下皆非吾有起於草莽之中因亂而爭之故雖驅天下之人以爭一旦之命而民猶有待於戡定以息肩於此故以疾戰定天下天下既安而下無背叛之志若夫六國之際諸侯各有分地而秦乃欲以力征彊服四海不愛先王之遺黎以爲子孫之謀而竭其力以爭隣國之利六國雖滅而秦民之心已散矣故秦之所以謀天下者匹夫特起之勢而非所以承祖宗之業以求其不

天者也昔者嘗聞之周人之興數百年而後至於文武之際三分天下而有其二然商之諸侯猶有所未服紂之衆未可以不擊而自解也故以文武之賢退而修德以待其自潰誠以爲后稷公劉太王王季勤勞不懈而僅能至於此故其發之不可輕而用之有時也嗟夫秦人舉累世之資一用而不復惜其先王之澤已竭於取天下而尚欲求以爲國亦已惑矣

蘇文忠公應詔集卷第一

欒城應詔集卷之二

宋眉山蘇轍子由著

蘇文定公應詔集卷第二

明東吳王執禮子敬
顧天敘禮初　仝校

進論五首

□□□漢論

古之聖人，制爲君臣之分，天子以其一身立乎天下之上，安受天下之奉，已而不辭，天下之人，奇才壯士，爭出其力，自盡於天子之下，而無所逃遁，此二者何爲如此也。天下之事，固其賢者爲之也。仁人君子，盡其心以制天下之事，而無所不成；武夫猛士，竭其力以剪天下之暴亂而無所不定此其類非不智且勇也然而不得其君則其心常鰓鰓然曠四海而不能以自安功成事立缺然反顧而莫之能受是以天下之賢才其才雖足以取之而常喜天下之有賢君者利其有以受之也蓋古之人君收天下之英雄而不失其心故天下皆爭歸之而英雄之士因其君之資以用力於天下功成求得而不敢爲背叛之操故上下相守而可以至於無窮惟其君臣相戾而不能以相用君以爲無事乎其臣臣以爲無事乎其君君無所用以至於天下之不親臣無以用之以至於悖惇而無所底麗而天下始大亂矣且彼不知夫天下之意也天下之

人皆人臣也而誰能以相從惟其因天子之權而用之是以雖其比肩之人而莫敢抗彼見天下之莫吾抗也則以爲天下之畏我而不知巳之戴君之威而行也故或狃天下之畏巳而反以求夫其君其君既去而天下之人孰畏而不爲變哉昔者西漢之衰王莽竊取其人君之權而執之以求取其天下方其執之而未取也天下不知其將取之是以俛首而奉其所爲何者天下之心猶以爲漢役之也至於天下在莽而其英雄之士遂起而共攻之不數年而莽以大敗何者天下不服無漢之王莽也其後東漢之亂獻帝奔走於草莽之中曹操出之以爲帝王當是之時天下巳無漢

矣而唯曹氏之爲聽然天下之英雄猶以爲名皆起而爭之終曹公之身而不能以自安猶幸其當時之人皆知漢之天下已去而操取之也是以心服曹氏而安爲之臣故孔子曰天下有道禮樂征伐自天子出天下無道禮樂征伐自諸侯出自諸侯出蓋十世希不失矣自大夫出五世希不失矣陪臣執國命三世希不失矣蓋天下之情居下而干其上之政者以爲已之章其利也而不知天下之爭心皆將囂然而不平是以其素所服者愈狹則其失之也愈速何則其不平者衆也故曰祿之去公室五世矣政在大夫四世矣而三桓之子孫微矣嗚呼公室既微則三桓之子孫天下之

所謂宜盛者也而終以衰平聲而不振則夫君臣之分可知也已

三國論

天下皆怯而獨勇則勇者勝皆闇而獨智則智者勝勇而遇勇則
勇者不足恃也智而遇智則智者不足用也夫惟智勇之不足以
定天下是以天下之難蜂起而難平蓋嘗聞之古者英雄之君其
遇智勇也以不智不勇而後真智大勇乃可得而見也悲夫世之
英雄其處於世亦有幸不幸耶漢高祖唐太宗是以智勇獨過天
下而得之者也曹公孫劉是以智勇相遇而失之者也以智攻智
以勇擊勇此譬如兩虎相捽齒牙氣力無以相勝其勢足以相擾
而不足以相斃當此之時惜乎無有以漢高帝之事制之者也昔

者項籍乘百戰百勝之威而執諸侯之柄咄嗟叱咤奮其暴怒西向以逆高祖其勢飄忽震蕩如風雨之至天下之人以爲遂無漢矣然高帝以其不智不勇之身橫塞其衝徘徊而不得進其頑鈍椎魯足以爲笑於天下而卒能摧折項氏而待其死此其故何也夫人之勇力用而不已則必有所耗竭而其智慮久而無成則亦必有所倦怠而不舉彼欲就其所長以制我於一時而我閉門而拒之使之失其所求逡巡求去而不能去而項籍固已憊矣今夫曹公孫權劉備此三人者皆知以其才相取而未知以不才取人也世之言者曰孫不如曹而劉不如孫劉備唯智短而勇不足故

有所不若於二人者而不知因其所不足以求勝則亦已惑矣蓋劉備之才近似於高祖而不知所以用之之術昔高祖之所以自用其才者其道有三焉耳先據勢勝之地以示天下之形廣收信越出奇之將以自輔其所不逮有果銳剛猛之氣而不用以深折項籍猖狂之勢此三事者三國之君其才皆無有能行之者獨有一劉備近之而未至其中猶有翹然自喜之心欲爲椎魯而不能純欲爲果銳而不能達二者交戰於中而未有所定是故所爲而不成所欲而不遂棄天下而入巴蜀則非地也用諸葛孔明治國之才而當紛紜征伐之衡則非將也不忍忿忿之心犯其所短而

自將以攻人則是其氣不足尚也嗟夫方其奔走於二袁之間困於呂布而狼狽於荆州百敗而其志不折不可謂無高祖之風矣而終不知所以自用之方夫古之英雄唯漢高帝爲不可及也夫

晉論

御天下有道術之以安動之以勞使之安居而能勤勞處而能憂其君子周旋揖讓不失其節而能耕田射獵以自致其力平居習爲劬強而去其惰傲驕矜而曰毀動勞而日彊冠冕佩玉之人而不憚執鞭天下之大勞是以天下之事舉皆無足爲者而天下之已夫亦無以求勝其上何者天下之亂盡嘗起於上之所憚而不敢爲天下之小人知其上之有所憚而不敢爲則有以乘其間而致其上之所難夫其上之所難者豈非死傷戰鬭之患匹夫之所輕而士大夫之所不忍以其身試之者邪彼以死傷戰鬭之患遂

我而我不能應則無怪乎天下之至於亂也故夫君子之於天下不見其所畏求使其所畏之不見是故事有所不辭而勞苦有所不憚昔者晉室之敗非天下之無君子也其君子皆有好善之心高談揖讓泊然沖虛而無慷慨感激之操大言無當不適於用而畏兵革之事天下之英雄知其所忌而竊乘之是以顛沛隕越而不能以自存且夫劉聰石勒王敦祖約此其姦詐雄武亦一世之豪也譬如山林之人生於草木之間大風烈日之所咻而霜雪饑饉之所勞苦其筋力骨節之所嘗試者亦已至矣而使王衍王導之倫清談而當其衝此譬如千金之家居於高堂之上食肉飲酒

不習寒暑之勞而欲以之捍禦山林之勇夫而求其成功此固姦雄之所樂攻而無難者也是以雖有賢人君子之才而無益於世雖有盡忠致命之意而不救於患難此其病起於自處太高而不習天下之辱事故富而不能勞貴而不能治蓋古之君子其治天下爲其甚勞而不失其高食其甚美而不棄其糲使匹夫小人不知所以用其勇而其上不失爲君子至於後世爲其甚勞而不知以自復而爲秦之彊食其甚美而無以自實而爲晉之敗夫甚勞者固非所以爲安而甚美者亦非所以自固此其所以喪天下之故也哉

七代論

英雄之士能因天下之勢而遂成之天下之勢未有可以必成者也而英雄之士常因其隙而入於其間堅忍而不變是以天下之勢遂成而不可解自晉以下天下何其紛紛也彊者不能以相吞而弱者不能以相服其德不足以相君臣而其兵不足以相吞滅天下大亂離而爲南北北又離而爲東西其君臣又自相篡取而爲七代至於隋而後合而爲一蓋其間百有餘年之中其賢君名臣累累而出者不爲少矣然而南不能渡河以有北之民而北不能過江以侵南之地豈其百年之間南無間之足乘而北無隙之

可入哉蓋亦其勢之有所不可者也七代之際天下嘗有變矣宋取之晉齊取之宋梁取之齊陳取之梁而周齊取之後魏此五姓者兵交而不解內亂而無救其間非小也而其四隣拱手遠望而莫敢入蓋其取之者誠有以待之而不可以乘其倉卒也嗟夫北方之人其力不足以并南而南方之勢又固不可以爭衡於中國則七代之際天下將不可合邪嘗試論之姚泓宋武之際天下將合之際也姚興既死而秦地大亂武帝舉江南之兵長驅以攻秦兵不勞而關中定此天下之一時也及夫劉穆之死關中未安席不及煖兵不及息而奔走以防江南之亂留孺子屬將以抗四方

彊悍之虜則天下之勢已遂去矣且此惟不能因天下之勢而遂成之也則夫天下之勢亦隨去之而已矣且夫孫權曹操之事足以見矣曹操之不能過江以攻孫權力有所未足也而孫權終莫肯求逞於中國葢其志將以僥倖乎北方之大亂然後奮而乘其獘而非以爲其地之足以抗衡於中原也嗟夫使武帝既入關因而居之以鎭撫其人民南漕江淮之資西引巴漢之粟而內因關中之盛厲兵秣馬以問四方之罪戾當此之時天下可以指麾而遂定矣而何江南之足以蔕芥夫吾心哉然而其事則不可以不察也其心將有所取乎晉而恐夫人之反之於南是以其心憂懼

顚倒而不見天下之勢孔子曰無欲速無見小利欲速則不達見小利則大事不成故夫有可以取天下之勢而不顧以求移其君而遂失之者宋武之罪也

隋論

人之於物聽其自附而信其自去則人重而物輕人重而物輕則物之附人也堅物之所以去人分裂四出而不可禁者物重而人輕也古之聖人其取天下非其驅而來之也其守天下非其劫而留之也使天下自附不得已而爲之長吾不役天下之利而天下自至夫是以去就之權在君而不在民是之謂人重而物輕且夫吾之於人已求而得之則不若使之求我而後從之已守而固之則不若使之不忍去我而後與之故夫智者或可與取天下矣而不可與守天下守天下則必有大度者也何者非有大度之人則

常恐天下之去我而以術留天下以術留天下而天下始去之矣昔者三代之君享國長遠後世莫能及然而亡國之暴未有如秦隋之速二世而亡者也夫秦隋之亡其弊果安在哉自周失其政諸侯用事而秦獨得山西之地不過千里韓魏壓其衝楚脅其肩燕趙伺其北而齊掉其東秦人被甲持兵七世而不得解寸攘尺取至始皇然後合而爲一秦見其取天下若此其難也而以爲不急持之則後世且復割裂以爲敵國是以銷名城殺豪傑鑄鋒鏑以絕天下之望其所以備慮而固守之者甚密如此然而海內愁苦無聊莫有不忍去之意是以陳勝項籍因民之不服長呼起兵

而山澤皆應由此觀之豈非其重失天下而防之太過之弊歟今夫隋文之世其亦見天下之久不定而重失其定也蓋自東晉以來劉聰石勒慕容垂符堅姚興赫連之徒紛紛而起者不可勝數至於元氏幷吞滅取略已盡矣而南方未服元氏自分而爲周齊周幷齊而授之隋隋文取梁滅陳而後天下爲一彼亦見天下之久不定也是以既得天下之衆而恐其失之享天下之樂而懼其不久立於萬民之上而常有猜防不安之心以爲舉世之人皆有曩者英雄割據之懷制爲嚴法峻令以杜天下之變謀臣舊將誅滅略盡而獨死於楊素之手以及於大故終於煬帝之際天下大

亂塗地而莫之救由此觀之則夫隋之所以亡者無以異於秦也
悲夫古之聖人修德以來天下天下之所爲去就者莫不在我故
其視失天下甚輕夫惟視失天下甚輕是故其心舒緩而其爲政
也寬寬者生於無憂而慘急者生於無聊耳昔嘗聞之周之興太
王避狄於岐豳之人民扶老攜幼而歸之岐山之下累累而不絕
喪失其舊國而卒以大興及觀秦隋唯不忍失之而至於亡然後
知聖人之爲是寬緩不速之行者乃其所以深取天下者也

蘇文定公應詔集卷第二

唐論

天下之變常伏於其所偏重而不舉之處故內重則為內憂外重則為外患古者聚兵京師外無彊臣天下之事皆制於內當此之時謂之內重內重之弊姦臣內擅而外無所忌匹夫橫行於四海而莫能禁其亂不起於左右之大臣則生於山林小民之英雄故夫天下之重不可使專在內也古者諸侯大國或數百里兵足以戰食足以守而其權足以生殺然後能使四夷盜賊之患不至於內天子之大臣有所畏忌而內患不作當此之時謂之外重外重之弊諸侯擁兵而內無以制由此觀之則天下之重固不可使在

內而亦不可使在外也自周之衰齊晉秦楚緜地千里內不勝於其外以至於滅亡而不救秦人患其外之已重而至於此也於是收天下之兵而聚之關中夷滅其城池殺戮其豪傑使天下之命皆制於天子然至於二世之時陳勝吳廣大呼起兵而郡縣之吏熟視而走無敢誰何趙高擅權於內頤指如意雖李斯爲相備五刑而死於道路其子李由守三川擁山河之固而不敢校也此二患者皆始於外之不足而無有以制之也至於漢興懲秦孤立之弊乃大封侯王而高帝之世反者九起其遺孽餘烈至於文景而爲淮南濟北吳楚之亂於是武帝分裂諸侯以懲大國之禍而其

後百年之間王莽遂得以奮其志於天下而劉氏之子孫無復龃
齬魏晉之世乃益侵削諸侯四方微弱不復為亂而朝廷之權臣
山林之匹夫常為天下之大患此數君者其所以制其內外輕重
之際皆有以自取此亂而莫之或知也夫天下之重在內則為內
憂在外則為外患而秦漢之間不求其勢之本末而更相懲戒以
就一偏之利故其禍循環無窮而不可解也且夫天子之於天下
非如婦人孺子之愛其所有也得天下而謹守之不忍以分於人
此匹夫之所謂智也而不知其無成者未始不自不分始故夫聖
人將有所大定於天下非外之有權臣則不足以鎮之也而後世

之君乃欲去其爪牙翦其股肱而責其成功亦已過矣夫天下之勢內無重則無以威外之彊臣外無重則無以服內之大臣而絕姦民之心此二者其勢相持而後成而不可一輕者也昔唐太宗既平天下分四方之地盡以沿邊爲節度府而范陽朔方之軍皆帶甲十萬上足以制夷狄之難下足以備匹夫之亂內足以禁大臣之變而將帥之臣常不至於叛者內有重兵之勢以預制之也正觀之際天下之兵八百餘府而在關中者五百舉天下之衆而後能當關中之半然而朝廷之臣亦不至於乘間釁以邀大利者外有節度之權以破其心也故外之節度有周之諸侯外重之勢

而易置從命得以擇其賢不肖之才是以人君無征伐之勞而天下無世臣暴虐之患內之府兵有秦之關中內重之勢而左右謹飭莫敢爲不義之行是以上無逼奪之危下無誅絶之禍蓋周之諸侯內無府兵之威故陷於逆亂而不能以自止秦之關中外無節度之援故脅於大臣而不能以自立有周秦之利而無周秦之害形格勢禁內之不敢爲變而外之不敢爲亂未有如唐制之得者也而天下之士不究利害之本末猥以成敗之遺蹤而論計之得失徒見開元之後彊兵悍將皆爲天下之大患而遂以太宗之制爲猖狂不審之計夫論天下論其勝敗之形以定其法制之得

失則不若窮其所由勝敗之處蓋天寶之際府兵四出萃於范陽而德宗之世禁兵皆戍趙魏是以祿山朱泚得至於京師而莫之能禁一亂塗地終於昭宗而天下卒無寧歲内之强臣雖有輔國元振守澄士良之徒而卒不能制唐之命誅王涯殺賈餗自以爲威震四方然劉從諫爲之一言而震慴自斂不敢復肆其後崔昌遐倚朱溫之兵以誅宦官去天下之監軍而無一人敢與抗者由此觀之唐之衰其弊在於外重而外重之弊起於府兵之在外非所謂制之失而後世之不用也

欒城應詔集卷二終

唐諭列山卷首

欒城應詔集卷之三

宋眉山蘇轍子由著　明東吴王執禮子敬　顧天叙禮初　仝校

蘇文定公應詔集卷第三

進論五首

五代論

昔者商周之興始於稷契而至於湯武凡數百年之間而後得志於天下其成功甚難而享天下之利至緩也然桀紂既滅收天下朝諸侯自處於天子之尊而下無不服之志誅一匹夫而天下遂定蓋其用力亦甚易而無勞也至於秦漢之際其英雄豪傑之士

逐天下之利惟恐不及而聞天下之釁惟恐其後之也奮臂於大澤而天下之士雲合響應轉戰終日而辟地千里其取天下若此其無難也然天下已定君臣之分既明分裂海內以王諸將將以傳之無窮百世而不變而數歲之間功臣大國反者如蝟毛而起是何其取之之易而守之之難也若夫五代干戈之際其事雖不足道然觀其帝王起於匹夫鞭笞海內戰勝攻取而自梁以來不及百年天下五禪遠者不過數十歲其智慮曾不足以及其後世此亦甚可怪也蓋嘗聞之梁之亡其父子兄弟自相屠滅虐用其民而天下叛周之亡適遭聖人之興而不能以自立此二者君子

之所不疑於其間也而後唐之莊宗明宗與晉漢之高祖皆以英武特異之姿據天下太半之地及其子孫材力智勇亦皆有以過人者然終以敗亂而不可解此其勢必有以自取之也蓋唐漢之亂始於功臣而晉之亂始於戎狄此其以易取天下之過也莊宗之亂晉高祖以兵趨夷門而後天下定於明宗後唐之亡匈奴破張達之兵而後天下定於晉匈奴之禍周高祖發南征之議而後天下定於漢故唐滅於晉晉亂於匈奴而漢亡於周蓋功臣負其創業之勳而匈奴恃其驅除之勞則要天子聽之則不可以久安而誅之則足以召天下之亂動一功臣天下遂並起而軋之矣故

唐奪晉高祖之權而亡晉絕匈奴之和親而滅漢諸陽邠史肇而
周人不服以及於禍彼其初無功臣無匈奴則不興而功臣匈奴
卒起而滅之故古之聖人有可以取天下之資而不用有可以乘
天下之勢而不顧撫循其民以待天下之自至此非以爲苟仁而
已矣誠以爲天下之不可以易取也欲求天下而求之於易故凡
事之可以就天下者無所不爲也無所不爲而就天下天下既安
而不之改則非長久之計也改之而不顧此必有以忤天下之心
者矣昔者晉獻公既沒公子重耳在翟里克殺奚齊卓子而召重
耳重耳不敢入秦伯使公子縶往弔且告以晉國之亂將有所立

於公子重耳再拜而辟亦不敢當也至於夷吾聞召而起以汾陽之田百萬命里克以負蔡之田七十萬命丕鄭而奉秦以河外列城五及其既入而背內外之賂殺里克丕鄭而發兵以絕秦兵敗身虜不復其國而後文公徐起而取之大臣援之於內而秦楚推之於外既反而霸於諸侯唯其不求入而人入之無賂於內外而其勢可以自入此所以反國而無後憂也其後劉季起於豐沛之間從天下武勇之士入關以誅暴秦降子嬰當此之時功冠諸侯其勢遂可以至於帝王此皆沛公之所自爲而諸將不與也然至追項籍於固陵兵敗而諸將不至乃捐數千里之地以與韓信彭

越而此兩人卒負其功背叛而不可制故夫取天下不可以僥倖於一時之利僥倖於一時之利則必將有百歲不已之患此所謂不及遠也

周公論

伊尹既立太甲不明而放諸桐天下不以爲不義武王既沒成王幼周公攝天子之位朝諸侯於明堂而召公不說管叔蔡叔咸叛天下幾至於不救二者此其故何也太甲既立矣而不足以治天下則夫伊尹猶有以辭於後世也蓋周公之事其迹無以異於伊尹然天下之人舉皆疑而不信此無足怪也何者天下未知夫成

王之不明而周公攝則是周公未有以服天下之心而彊攝焉以
爲之上也且夫伊尹之攝其事則有所不得已而然爾太甲雖廢
而伊尹未敢有所復立以召天下之亂故寧以已攝焉而待夫太
甲之悔是以天下無疑乎其心今夫周公之際其勢未至於不得
已也使成王拱手以居天下之上而周公爲之佐以成王之名號
於天下而輔之以周公此所謂其勢之未至於不得已者矣而周
公不居則夫天下之謗周公之所自取也然愚以爲不然挾天子
以令天下此諸葛孔明之事耳而周公豈不足以知之蓋夫人臣
惟無執天子之權人臣而執天子之權則必有忠於其心而後可

以自免於難何者人臣而用天子之事此天子之所忌也以一人之身上爲天子之所忌而下爲左右之大臣從而媒孽其短此古之忠臣所以盡心而不免於禍而世之奸雄之士所以動其無君之心而不顧者也使成王用事於天下而周公制其予奪之柄則愚恐成王有所不平於其心而管蔡之徒乘其隙而間之以至於亂也使成王有天子之虛名而不得制天下之政則愚恐周公有所不忍於其志赧然其有不安之心也是以寧取而攝之使成王無與乎其間以破天下讒慝之謀而絕其爭權之心是以其後雖有管蔡之憂而天下不搖使其當時列於羣臣之間方其危疑搶攘而未決也

則愚恐周公之禍非居東之所能免而管蔡得志於天下成王將遂不立也嗚呼其思之遠哉

老聃論上

善與人言者因其人之言而爲之言則天下之爲辯者服矣與其里人言而曰吾父以爲不然則誰肯信以爲爾父之是是故不若與之論其曲直雖楚人可以與秦人言之而無害故夫天下之所爲多言以排夫異端而終以不明者唯不務其是非利害而以父屈人也夫聖人之所爲尊於天下爲其知夫理之所在也而周公仲尼之所爲信於天下以其弟子而知之也故非其弟子則天下

事

有不知周公之爲周公而仲尼之爲仲尼者矣是故老聃莊周其爲說不可以周孔辯也何者彼且以爲周孔之不足信也夫聖人之於言譬如規矩之於方圓爾天下之人信規矩之於方圓而以規矩辯天下之不方不圓則不若求其至方極圓以陰合於規矩使規而有不圓矩而有不方則亦無害於吾說若此則其勢易以折天下之異論昔者天下之士其論老聃莊周與夫佛之道者皆未嘗得其要也老聃之說曰去仁義絶禮樂而後天下安而吾之說曰仁義禮樂天下之所待以治安者佛之說曰棄父絶子不爲夫婦放雞豚食菜茹而後萬物遂而吾之說曰父子夫婦食雞豚

以遂萬物之性夫彼且以其說而吾亦以吾說彼之不吾信如吾之不彼信也蓋天下之不從莫急於未信而彊劫之故夫仁以安人而行之以義節之以禮而播之以樂守之以君臣而維之以父子兄弟食肉而飲酒此明於孔子者之所知也而欲以諭其所不知之人而曰孔子則然嗟夫難哉愚則不然曰天下之道唯其辯之而無窮攻之而無間辯之而有窮攻之而有間則是不足以為道果孔子而有窮也亦將捨而他之惟其無窮是以知其為道而無疑蓋天下有能平其心而觀焉而不牽夫仲尼老聃之名而後可與語此也

老聃論下

天下之道惟其辨之而無窮攻之而無間辨之而有窮攻之而有間則是不足以爲道昔者六國之際處士橫議以熒惑天下楊氏爲我而墨氏兼愛凡天下之有以君臣父子之親而不相顧者舉皆歸於楊子而道路之人皆可以爲父兄子弟者舉皆歸於墨子也夫天下之人不可以絶其相屬之親而合其無故之歡此其勢然矣故老聃莊周知夫天下之不從也而起而承之以爲兼愛爲我之不足以收天下是以不爲爲我不爲兼愛而處乎兼愛爲我之際此其意以爲不兼愛則天下議其無親不爲我則天下譏其

爲人故兩無所適處而泛泛焉浮游其間而我皆無所與以爲是足以自免而逃天下之是非矣夫天下之人惟是其所是而非其所非是以其說可得而考其終今夫老莊無所是非而其終歸於無有此其思之亦已詳矣楊氏之爲我墨氏之兼愛此其爲道莫不有所執也故爲我者爲兼愛之所詆而兼愛者爲爲我之所毁是二者其地皆不可居也然而得其間而固守之則可以杜天下之異端而絕其口盖古之聖人惟其得而居之是以天下大服而其道遂傳於後世今老聃莊周不得由其大道而見其隙竊入於其間而執其機是以其論縱横堅固而不可破也且夫天下之事

安可以一說治也彼二子者欲一之以兼愛斷之以爲我故其說有時焉而遂窮夫惟聖人能處於其間而制其當然兼愛爲我亦莫棄也而能用之以無失乎道處天下之紛紜而不失其當故曰伯夷叔齊不降其志不辱其身柳下惠少連降志辱身言中倫行中慮虞仲夷逸隱居放言身中清廢中權我則異於是無可無不可夫無可無不可此老聃莊周之所以爲辯也而仲尼亦云則夫老聃莊周其思之不可以爲不深矣蓋嘗聞之聖人之道處於可不可之際而遂從而實之是以其說萬變而不可窮老聃莊周從而虛之是以其說汗漫而不可詰今將以求夫仲尼老聃之

是非者惟能知虛實之可用與否而已矣蓋天下固有物也有物而物相遭則固亦有事矣是故聖人從其有而制其御有之道以治其有實之事則天下夫亦何事之不可爲而區區焉求其有以納之於無則其用力不已甚勞矣哉夫老聃莊周則亦嘗自知其窮矣夫其窮者何也不若從其有而有之之爲易也故曰常無欲以觀其妙而又曰常有欲以觀其徼既曰無之以爲用而又曰有之以爲利而至於佛者則亦曰斷滅而又曰無斷無滅夫既曰無矣而又恐無之反以爲窮既曰斷滅矣而又恐斷滅之適以爲累則夫其情可以見矣仲尼有言曰君子之中庸也君子而時中小

人之中庸也小人而無忌憚也夫老聃莊周其亦近於中庸而無
忌憚者哉

蘇文定公應詔集卷第三

欒城應詔集卷之三終

欒城應詔集卷之四

宋眉山蘇轍子由著

明東吳王執禮子敬 顧天敘禮初 仝校

進論五首

禮論

昔者商周之際何其爲禮之易也其在宗廟朝廷之中籩豆簠簋牛羊酒醴之薦交於堂上而天子諸侯大夫卿士周旋揖讓獻酬百拜樂作於下而禮行於上雍容和穆終日而不亂夫古之人何其知禮而行之不勞也當此之時天下之人惟其習慣而無疑衣

服器皿冠冕佩玉皆其所常用也是以其人入於其間耳目聰明而手足無所忤其身安於禮之曲折而其心不亂以能深思禮樂之意故其廉恥退讓之心盎然見於其面而坌然發於其躬夫是以能使天下觀其行事而忘其暴戾鄙野之氣至於後世風俗變易更數千年以至於今天下之事已大異矣然天下之人尚皆記錄三代禮樂之名詳其節目而習其俯仰冠古之冠服古之衣而御古之器皿傴僂拳跽勞苦於宗廟朝廷之中區區而莫得其紀交錯紛亂而不中節此無足怪也其所用者非其素所習也而彊使焉甚矣夫後世之好古也昔者上古之世葢常有巢居穴處汙

樽杯飲燔黍捭豚蕢桴土鼓而以爲是足以養生送死而無以加之者矣及其後世聖人以爲不足大利於天下是故易之以宫室新之以籩豆鼎俎之器以濟天下之所不足而盡去太古之法惟其祭祀以交於鬼神乃始薦其血毛豚解而腥之體解而爛之以爲是不忘本而非以爲後世之禮不足用也是以退而體其犬豕牛羊實其簠簋籩豆鉶羹以極今世之美未聞其牽於上古之說選懦而不決也且方今之人佩玉服冕而垂旒拱手而不知所爲而天下之人亦且見而笑之是何所復望於其有以感發天下之心哉且又有所大不安者宗廟之祭聖人所以追求先祖之神

靈庶幾得而享之以安卹孝子之志者也是以思其平生起居飲食之際而設其器用薦其酒食皆從其生以冀其來而安之而後世宗廟之祭皆用三代之器則是先祖終莫得而安也蓋三代之時席地而食是以其器用各因其所便而爲之高下大小之制今世之禮坐於牀而食於牀上是以其器不得不有所變雖正使三代之聖人生於今而用之亦將以爲便安故夫三代之視上古猶今之視三代也三代之器不可復用矣而其制禮之意尚可依倣以爲法也宗廟之祭薦之以血毛重之以體薦有以存古之遺風矣而其餘者可以易三代之器而用今世之所便以從鬼神之所

安惟其春秋社稷釋奠釋菜凡所以享古之鬼神者則皆從其器蓋周人之祭蜡與田祖也吹葦籥擊土鼓此亦各從其所安焉耳嗟夫天下之禮宏闊而難言自非聖人而何以處此惟其推之而不明講之而不詳則遂以爲不可蓋其近於正而易行庶幾天下之安而從之是固不可易也

易論

易者卜筮之書也挾策布卦以分陰陽而明吉凶此日者之事而非聖人之道聖人之道存乎其爻之辭而不在其數數非聖人之所盡心也然易始於八卦而至於六十四此其爲書未離乎用數

爲之說曰陰不可以有加於陽故抑而處之於下使陰果不可以
則老陰當十二而少陰當八今少陰八而老陰反當其下之六則又
於極於七故七爲少而九爲老至於老陰苟以爲以極者而言也
數者天下莫知其所爲如此者也或者以爲陽之數極於九而其
老陽之數也九爲老陽而七爲少陽六爲老陰而八爲少陰此四
以其有用之言而詆之無用之數哉今夫易之所謂九六者老陰
於其間以盡天下之人惟使其爲數紛亂而不可考則聖人豈肯
可解此言論之士所以恥而不言歟夫易本於卜筮而聖人闢言
也而世之人皆取言易之數或者言而不得其要紛紜迂闊而不

有加於陽也而曷不曰老陰八而少陰六且夫陰陽之數此天地之所爲也而聖人豈得與於其間而制其予奪哉此其尤不可者也夫陰陽之有老少此未嘗見於他書也而見於易易之所以或爲老或爲少者爲夫揲蓍之故也故夫說者宜於其揲蓍焉而求之揲蓍之法曰掛一歸奇三揲之餘而以四數之得九而以爲老陽得八而以爲少陰得七而以爲少陽得六而以爲老陰然而陰陽之所以爲老少者不在乎七八九六也七八九六徒以爲識焉耳老者陰陽之純也少者陰陽之雜而不純者也陽數皆奇而陰數皆偶故乾以一爲之爻而坤以二天下之物以少爲主故乾之

子皆二陰而坤之女皆二陽老陰老陽者乾坤是也少陰少陽者乾坤之子是也揲蓍者其一揲也少者五而多者九其二其三少者四而多者八多少者奇偶之象也一爻而三揲譬如一卦而三爻也陰陽之老少於卦見之於爻而於爻見之於揲使其果有取於七八九六則夫此三揲者區區焉分其少多而各爲之處果何以爲也今夫三揲而皆少此無以異於乾之三爻而皆奇也三揲而皆多此無以異於坤之三爻而皆偶也三揲而少者一此無以異於震坎艮之一奇而二偶也三揲而多者一此無以異於巽離兌之一偶而二奇也若夫七八九六此乃取以爲識而非其義之

所在不可彊以爲說也

書論

愚讀史記商君列傳觀其改法定令變更秦國之風俗誅秦民之議令者以數千人黥太子之師劓太子之傅而後法令大行盖未嘗不壯其勇而有決也曰嗟夫世俗之不可與慮始而可與樂終使天下之人各陳其所知而守其所學以議天子之事則事將有格而不得成者然及觀三代之書至其將有以矯拂世俗之際則其所以告諭天下者常丁寧激切亹亹而不倦務使天下盡知其君之心而又從而折其不服之意使天下皆信以爲如此而後從

事其言回曲媕婀譬如平人自相議論而詰其是非者隱於譎而疑之以爲近於嚅囁汙邅而無狀然其使天下紛從而無能傀不得已之意其事既發而無紛紜異同之論此則王者之意也故常以爲當燕宴之時其君臣相得之心歡欒而無間相與吁俞嗟歎唯詣於朝廷之中不啻若朋友之親雖其有所相是非論辯以求曲直之當亦無足怪者及至湯武征伐之際周旋反覆自述其用兵之意以明曉天下此及其勢然也雖其天下既安君民之勢闊遂而不同天子有所欲爲而其匹夫匹婦私有異論於天下以閾語其上之言箴公之而莫肯聽當此之時刑驅而勢務之天下夫

誰敢不聽從而其上之人優游而徐譬之使之信之而後從此非王者之心誰能處而待之而不倦歟蓋盤庚之遷天下皆咨嗟而不悅盤庚爲之稱其先王盛德明聖而猶五遷以至於今今不承於古恐天之斷棄汝命不救汝死旣又恐其不從也則又曰汝罔暨余同心我先后將降汝罪疾乃祖先父亦將告我高后曰作大戮於朕孫蓋其所以開其不悟之心而諭之以其所以當然者如此其詳也若夫商君則不然以爲要使汝獲其利而何卹乎吾之所爲故無所求於衆人之論而亦無以告諭於天下然其事亦終於有成是以後世之論以爲三代之治柔懦而不決然此乃王覇

之所以爲異者也夫三代之君惟不忍鄙其民而欺之故天下有故而其議及於百姓以觀其意之所向及其不可聽則又反覆而諭之以窮極其說而服其不然之心是以其民親而愛之嗚呼此王霸之所爲不同也哉

詩論

自仲尼之亡六經之道遂散而不可解蓋其患在於責其義之太深而求其法之太切夫六經之道惟其近於人情是以久傳而不廢而世之迂學乃皆曲爲之說雖其義之不至於此者必彊牽合以爲如此故其論委曲而莫通也夫聖人之爲經惟其於禮春秋

然後無一言之虛而莫不可考然猶未嘗不近於人情至於書出於一時言語之間而易之爻爲卜筮而作故時亦有所不可前定之說此其於法度已不如禮春秋之嚴矣而況乎詩者天下之人匹夫匹婦羈臣賤隸悲憂愉佚之所爲作也夫天下之人自傷其貧賤困苦之憂而自述其豐美盛大之樂其言上及於君臣父子天下興亡治亂之迹而下及於飲食牀笫昆蟲草木之類蓋其中無所不具而尙何以繩墨法度區區而求諸其間哉此亦足以見其志之不通矣夫聖人之於詩以爲其終要入於仁義其不責其一言之無當是以其意可觀而其言可通也今詩之傳曰隱其雷

在南山之陽出自北門憂心隱隱揚之水白石鑿鑿終朝采綠不盈一掬瞻彼洛矣維水泱泱若此者皆興也而至於關關雎鳩在河之洲南有樛木葛藟纍之南有喬木不可休息維鵲有巢惟鳩居之嚶嚶草蟲趯趯阜螽若此者又皆興也其意以爲興者有所取象乎天下之物以自見其事故凡詩之爲此事而作而其言有及於是物者則必彊爲是物之說以求合其事蓋其爲學亦以勞矣且彼不知夫詩之體固有比也而皆合之以爲興夫興之爲言猶曰其意云爾意有所觸乎當時時已去而不可知故其類可以意推而不可以言解也隱其靁曰隱其靁在南山之陽此非有所

取乎雷也蓋必其當時之所見而有動乎其意故後之人不可以求得其說此其所以爲興也若夫關關雎鳩在河之洲是誠有取於其摯而有別是以謂之比而非興也嗟夫天下之人欲觀於詩其必先知夫興之不可以與比同而無彊爲之說以求合其當時之事則夫詩之義庶幾乎可以意曉而無勞矣

春秋論

事有以拂乎吾心則吾言忿然而不平有以順適乎吾意則吾言優柔而不怒天下之人其喜怒哀樂之情可以一言而知也喜之言豈可以爲怒之言邪此天下之人皆能辨之而至於聖人其言

丁寧反覆布於方册者甚多而其喜怒好惡之所在者又甚明而易知也然天下之人常患求而莫得其意之所主此其故何也天下之人以爲聖人之文章非復天下之言也而求之太過求之太過是以聖人之言更爲深遠而不可曉且夫天下何不以己推之也將以喜夫其人而加之以怒之之言則天下且以爲病狂而聖人豈有以異乎人哉不知其好惡之情而不求其言之喜怒是所謂大惑也昔者仲尼删詩於衰周之末上自商周之盛王至於幽厲失道之際而下訖於陳靈自詩人以來至於仲尼之世蓋已數百餘年矣愚嘗怪大雅小雅之詩當幽厲之時而稱道文武成康

之盛德及其終篇又不見幽厲之暴虐此誰知其為幽厲之詩而
非文武成康之詩者蓋察於辭氣有幽憂不樂之意是以系之幽
厲而無疑也若夫春秋二百四十二年之間天下之是非雜然而
觸乎其心見惡而怒見善而喜則夫是非之際又可以求諸其言
之喜怒之間矣今夫人之於事有喜而言之者有怒而言之者有
怨而言之者喜而言之則其言和而無傷怒而言之則其言厲而
不溫怨而言之則其言深而不洩此其大凡也春秋之於仲孫湫
之來曰齊仲孫來於季友之歸曰季子來歸此所謂喜之之言也
於魯鄭之易田曰鄭伯以璧假許田於晉文之召王曰天王狩於

河陽此所謂怒之之言也於叔牙之殺曰公子牙卒於慶父之奔曰公子慶父如齊此所謂怨之之言也夫喜之而和怒之而厲怨之而深此三者無以加矣至於公羊穀梁之傳則不然日月土地皆所以爲訓也夫日月之不知土地之不詳何足以爲喜而何足以爲怒此喜怒之所不在也春秋書曰戎伐凡伯于楚丘而以爲衛伐凡伯春秋書曰齊仲孫來而以爲吾仲孫怒而至於變人之國此又喜怒之所不及也愚故曰春秋者亦人之言而已而人之言亦觀其辭氣之所嚮而已矣

欒城應詔集卷之四終

前有燕趙論一首

欒城應詔集卷之五

蘇（宋眉山蘇轍子由著）　（明東吳王執禮子敬 顧天敘禮初仝校）

口進論五首

口口口蜀論

匹夫匹婦天下之所易也武夫任俠天下之所畏也天下之人知夫至剛之不可屈而不知夫至柔之不可犯也是以天下之亂常至於漸深而莫之能止蓋其所畏者愈驕而不可制而其所易者不得志而思以爲亂也秦晉之勇蜀漢之怯怯者重犯禁而勇者

輕爲姦天下之所知也當戰國之時秦晉之兵彎弓而帶劒馳騁上下咄嗟叱咤蜀漢之士所不能當也然而天下既安秦晉之間豪民殺人以報仇椎埋發冢以快其意而終不敢爲大變也蜀人畏吏奉法俯首聽命而其匹夫小民意有所不適輒起而從亂此其故何也觀其平居無事盜入其室懼傷而不敢校此非有好亂難制之氣也然其弊常至於大亂而不可救則亦優柔不決之俗有以啟之耳今夫秦晉之民倜儻而無所顧負力而傲其吏吏有不善而不能以有容也叫號紛詉奔走告訴以爭毫釐曲直之際而其甚者至有懷刃以賊其長吏以極其忿怒之節如是而已矣

故夫秦晉之俗有一朝不測之怒而無終身蘊蓄不報之怨也若夫蜀人辱之而不能競犯之而不能報循循而無言忍詬而不驟發也至於其心有所不可復忍然後聚而爲群盜故而爲大亂以發其憤懣不洩之氣故雖秦晉之勇而其爲亂也志近而禍淺蜀人之怯而其爲變也怨深而禍大此其勇怯之勢必至於此而無足怪也是以天下之民惟無怨於其心怨而得償以快其怒則其爲毒也猶可以少解惟其鬱鬱而無所洩則其爲志也遠而其毒深哉故必有大亂以發其怒而後息古者君子之治天下彊者有所不懼而弱者有所不侮益爲是也書曰無虐惸獨而畏高明詩曰

不侮鰥寡不畏彊禦此言天下之匹夫匹婦其力不足以與敵而其智不足以與辯勝之不足以爲武而徒使之怨以爲亂故也嗟夫安得斯人者而與之論天下哉

北狄論

北狄之民其性譬如禽獸便於射獵而習於馳騁生於斥鹵之地長於霜雪之野飲水食肉風雨飢渴之所不能困上下山坂筋力百倍輕死而樂戰故常以勇勝中國然至於其所以擁護親戚休養生息畜牛馬長子孫安居佚樂而欲保其首領者蓋無以異於華人也而中國之士常憚其勇畏避而不敢犯氊裘之民亦以此

恐喝中國而奪之利此當今之所謂大患也昔者漢武之世匈奴絶和親攻當路塞天下震恐其後二十年之間漢兵深入不憚死亡捐命絶幕之北以決勝負而匈奴孕重墮壞人畜疲弊不敢言戰何者勇士壯馬非中國之所無有而窮追遠逐雖匈奴之衆亦終有所不安也故夫敵國之盛非隣國之所深憂也要在養兵休士而集其勇氣使之不懾而已方今天下之勢中國之民優游緩帶不識兵革之勞驕奢怠惰勇氣消耗而戎狄之賂又以百萬爲計轉輸天下甘言厚禮以滿其不足之意使天下之士耳熟所聞目習所見以爲生民之命寄於其手故俯首柔服莫敢抗拒斥中

圖勇健豪壯之氣然無復存者矣夫戰勝之民勇氣百倍敗兵之卒沒世不復蓋所以戰者氣也所以不戰者氣之蓄也戰而後守者氣之餘也古之不戰者養其氣而不傷今之士不戰而氣已盡矣此天下之所大憂者也昔者六國之際秦人出兵於山東小戰則殺將大戰則割地兵之所至天下震慄然諸侯猶師其罷散之兵合從以擊秦砥礪戰士激發其氣長平之敗趙卒死者四十萬人廉頗收合餘燼北摧栗腹西抗秦兵振刷磨淬不自屈服故其民觀其上之所為日進而不挫皆自奮怒以爭死敵其後秦人圖趙邯鄲求王使將軍新垣衍如趙欲遂帝秦而魯仲連慷慨發

憤深以爲不可遏夫天下之士所爲奮不顧身以抗彊虎狼之秦者爲非其君也而使諸侯從而帝之天下尚誰能出身以拒其君哉故魯仲連非徒惜夫帝秦之虛名而惜夫天下之勢有所不可也今尊奉夷狄無知之人交歡納幣以爲兄弟之國奉之如驕子不敢一觸其意此適足以壞天下義士之氣而畏夷狄豪橫之勢耳今誠養威而自重卓然特立不聽夷狄之妄求以爲民望而全吾中國之氣如此數十年之間天下摧折之志復壯而北敵之勇非吾之所當畏也

西戎論

戎狄之俗畏服大種而輕中國戎彊則臣狄狄強則臣戎戎狄皆弱而後中國可得而臣戎狄皆強而後侵略之患不至於中國葢一強而一弱中國之患也彼其弱者不敢獨戰是以爭附強國之餘威以趨利於中國而後無所懼強者并將弱國之兵蕩然南下而無復反顧之憂然後乃敢專力於中國而不去此二者以勢相從而不可間是以中國之士常不得解甲而息也昔者冒頓老上之盛惟西戎之無強國也故匈奴之人得以盡力而苦吾中國使西戎有武力戰勝之君則中國之禍將有所分而不專何者彼畏西戎之乘其後也故北狄強則中國不得不厚西戎之君而西戎

之君亦將自託於中國然而西戎非有強力自負之國則其勢亦將折而入於匈奴惟其國大而好勇其君之意欲區區自立於一隅而不畏北狄之衆而後中國可得而用也然天下之人皆以爲北方有強悍不屈之匈奴而又重之以西戎之大國則中國將不勝其困此何其不思之甚也夫戎狄之人惟其愚陋而多怨是故可與共憂也惟其強狠而好勝是故可以激而壯也使之自相攻擊而不能相下則其勢必走於中國中國因而收之而其不服者乃可圖也然天下之議又將以爲戎狄之俗不喜自相攻鬭而喜擊中國之衆此其勢固不可得而合也葢亦以爲不然夫四夷之

古者九夷八蠻無大君長紛紛錯錯不相統制惟北狄之種常為

西南夷論

此何其不識戎狄之情也

得其歡心然天下之心常畏其強而莫或收之而使為北狄之用

兵交於匈奴而怨結於中國則何以自固故中國舉而收之必將

外無所掠虜將不忍而熱中將反而求以相詬以為鬼兵之名彼

壯騎無所施設則其利不在於攻中國堅坐而相守不出十年彼

也今使吾兵精而食足據險阻明烽燧吏士練習而不敢懈彼雖

所以喜攻中國者為夫吾兵之不能苦戰而金玉錦繡之所交會

大國以抗中夏然蠻夷之俗種姓分別千人爲部百家爲黨見利則聚輕合易散族類不一其心終莫相愛故其兵利於疾戰而不利於遲久北狄之人縣地千里控弦百萬侯王君長通爲一家人畜富庶蔓延山谷之間其心常有所愛重而不忍去故其兵利於遲久而不利於疾戰此二者其大小之勢各有所便宜乎中國之所以待之者各有道也今夫北狄之人伏於陰山之下養兵休士久居而不戰此其志豈嘗須臾忘中國也然其心以爲戰而勝人猶不若不戰而屈人之兵戰而不勝民之死者未可知也故常大言虛喝而不進以謀獘中國蓋其所愛者愈大故其謀之愈深而

發之愈緩以求其不失也若夫西戎南蠻西南夷之民悉其衆庶尙不能當狄人之半而其酋豪毎毎爲亂不能自禁此誠無愛於其心而僥倖於一戰以用其烏合之衆而已故夫蠻夷之人擾邊求利其中非有大志者其類皆可以謀來也愚嘗觀於西南徼外以臨蠻夷之衆求其所以爲變之始而遂至於攻城郭殺人民縱横放肆而不可救者其積之莫不有漸也夫蠻夷之民寃絶而不之通今邊鄙之上利其貨財而納之於市使邊民淩侮欺謾而奪其利長吏又以爲擾民而不之禁窮恚無聊莫可告訴故其勢必至於解仇結盟攻剽蹂踐殘之於鋒鏑之間而後其志得伸也嗟夫

戎

爲吏如此亦見其不知本矣通關市戢吏民待之如中國之人彼倘誰所激怒而爲此哉然事不患乎不知而患乎人之不能用昔班超處西域數十年西破龜茲北伏匈奴及將東歸或以爲必有奇謀乃就問其計然其言止曰察見淵中魚不祥屯戍之士皆非忠臣孝子不可盡繩以法當是時莫不皆笑以爲不足用然及西域之亂終亦以此故夫謀非必奇而後可用而在乎當否而已古者四夷皆置校尉而益州有蠻夷騎都尉以治其事使其強者不能內侵而弱者不爲中國之所侮蓋爲是也

蘇

六月十一日校訖

此篇在卷首

燕趙論

昔者三代之法使天下立學校而教民行鄉射飲酒之禮於歲之終田事既畢而會其鄉黨之耆老設其籩豆酒食之薦而天子之大夫親爲之行禮蓋以爲田野之民裸裎其股肱而勞苦其筋力長幼雜作以趨一時之利習於鄙野之俗而不知孝悌之節頑囂無恥不可告語而易與爲亂是以因其休息而教之以禮使之有所不忘於其心故三代之民雖畊田荷任之賤其所爲者甚鄙而其中必有所守其心甚朴而亦不至於無知以犯非義何者其上之人不以爲鄙而不足教而其民亦喜於爲善也至於後世之衰

天下之民愚者不知君臣父子之義而天下之風俗日已敗亂今夫輕揚而剽悍好利而多變者吳楚之俗也勁勇而沉鷙椎鈍而少文者燕趙之俗也以輕揚剽悍之人而有好利多變之心無三代王者之化宜其起而爲亂矣若夫北方燕趙之國其勁勇沉鷙者可以義動而椎鈍少文者可以信結也然而燕趙之間其民常至於自負其勇以爲盜賊無以異於吳楚者何也其勁勇近於好亂而其椎鈍近於無知上失其道而燕趙之良民不復見於當世而其暴戾之夫每每亂天子之治仲尼曰君子好勇而無義則爲亂小人好勇而無義則爲盜故古之聖人止亂以義止盜以義使天下

之人皆知父子君臣之義而誰與爲亂哉昔者唐室之衰燕趙之人八十年之間百戰以奉賊臣竭力致死不顧敗亡以抗天子之兵而以爲忠臣義士之所當然當此之時燕趙之士惟無義也故舉其忠誠專一之心而用之天下之至逆以拒天下之至順而不知其非也孟子曰無常產而有常心者惟士爲能若民則無常產因無常心放僻邪侈無不爲已故夫燕趙之地常苦夫士大夫之寡也

卷之五終

欒城應詔集卷之六

宋眉山蘇轍子由著

明東吳王執禮子敬
顧天叙禮初 仝校

蘇文定公應詔集卷第六

進策

君術策五道

第一道

臣聞天下之事非宰相不可盡行非諫官不可盡言天下之人誰能必至於諫官宰相者惟其少而學之長而欲行之終其身而不當其位不可以侵官而求盡其意是故士大夫之間猶有不能自

盡其才於天子者也今臣幸而生於天下無事之時每一間歲天子常詔兩制之大臣使舉天下之士上自登朝之吏而下至於山林之匹夫咸得竭其所懷以盡天下之利害非天子出納耳目之官而得以言萬民之情僞非天子黜陟賞罰之臣而得以論百官之長短非天子武力將帥之士而得以議兵革之强弱非天子錢穀大農之吏而得以權財用之多少蓋天下之人必其爲宰相諫官而後可以盡行而盡言者使之一旦得以詳數而悉說之此有以見天子之意所以待之者甚重而不輕也而臣何敢以無說而處於此臣常以爲天下之事雖其甚大而難辨者天下必有能辨

之人蓋當今之所謂大患者不過曰四夷强盛而兵革不振百姓凋弊而官吏不飾重賦厚斂而用度不足嚴法峻令而姦軌不止此數四者所以使天子坐不安席中夜太息而不寐者也然臣皆以爲不足憂何者天下必有能爲天子出力而爲之者而臣之所憂在乎天下之所不能如之何者也臣聞善治天下者必明於天下之情而後得御天下之術術者所謂道也得其道而以智加焉是故謂之術古之聖人惟其知天下之情而以術制之也萬物皆可得而役其生皆可得而制其死牛服於箱馬服於轅鷹隼服於韝牛不可以有所觸馬不可以有所踶鷹隼不可以背而高翔此

三者惟其喜怒好惡之情發於外而見於人也是以因其所忌而授之以其術至於終身制於人而不去且治天下何異於治馬也馬之性剛很而難制急之則獘而不勝緩之則惰而不趨王良造父爲之先後而制其遲速驅之有方而挈之有時則終日驟驟而不知止此術之至也古之聖人驅天下之人而盡用之仁者使効其仁勇者使効其勇智者使効其智力者使効其力天下之人雖雜然皆列於前安得仁人君子而後任之且雖有天下之善人與之處而不知其情御之而不中其病則雖有好善之心而不獲好善之利何者彼不徒爲吾用也而況乎天下之英雄欲收其功而

不制其心哉昔者秦漢之際姦宄猛悍之人所在而爲寇高祖發於豐沛之間行而收之黥布彭越之倫皆撫而納諸其中所以制之者甚備也玉帛子女牛羊犬馬以極其豪侈之心輕財好施敦厚長者以服其趦趄之懷倨肆傲岸輕侮凌辱以折其强很之氣其視天下之英雄不啻若匹夫孺子然皆得其歡心而用其死力至於元成之世天下久於太平士大夫生於其間無復英雄難制之風天下之士皆書生好儒其才氣勇力無足畏者俛首下氣求爲之用而不暇元成哀平亦欲得天下之賢才而用之然而不知其情不獲其術賢人君子避讓畏譏遠引而去而小人宦竪縱横

放肆而制其事此甚可憫也夫人之平居朋友之間僕妾之際莫不有術以制其變蓋非有深遠難見之事也欲其用命而見其所害欲其樂從而見其所利欲其喜而致其所悅欲其懼而致其所忌欲其開心見誠而示之以無所恐欲其守死不去而示之以無所往此天下之人皆能知之而至於治天下則不能用且此過矣天下以爲天子之尊無所事術也而不知天下之事惟其英雄而後能有大功而世之英雄常苦豪橫太過而難制由此觀之治天下愈不可以無術也

君術第二道

將求御天下之術必先明於天下之情不先明於天下之情則與無術何異夫天下之術臣固已略言之矣而又將竊言其情今使天子皆得賢人而任之雖可以無憂于其爲姦然猶有情焉而不可以不知蓋臣聞之人有好爲名高者臨財推之以讓其親見位去之以讓其下進而天子禮焉則以爲歡進而不禮焉則雖逼之而不食其祿力爲廉恥之節以高天下若是而天子不知焉而豢之以厚利則其心赧然有所不平人有好爲厚利者見祿而就之以優其身見利而取之以豐其家良田大屋惟其與之則可以致其才如是而天子不知焉而強之以名高則其心鈌然有所不悅

於其中人惟無好自勝也好自勝而不少柔之則忿鬬而不和人惟無所相惡也有所相惡而不爲少避之則專其私怒而不求成功素剛則無折之也素畏則無強之也強之則將不勝而折之則將不振凡此數者皆所以求用其才而不傷其心也然猶非所以馭天下之姦雄蓋臣聞之天下之姦雄其爲心也甚深而其爲迹也甚微將營其東而形之於西將取其右而擊之於左古之人有欲得其君之權者不求之其君也優游翺翔而聽其君之所欲爲使之得其所欲而油然自放以釋天下之權天下之權既去其君而無所歸然後徐起而收之故能取其權而其君不之知古之人

有爲之者李林甫是也夫人既獲此權也則思專而有之專而有
之則常恐天下之人從而傾焉夫人惟能自固其身而後可以謀
人自固之不暇而欲謀人也實難故古之權臣常合天下之爭天
下且相與爭而不解則其勢無暇及我是故可以久居而不可去
古之人有爲之者亦李林甫是也世之人君苟無好善之心幸而
有好善之心則天下之小人皆將賣之以爲姦何者有好善之名
而不察其善之實天下之善固有可以謂之惡而天下之惡固有
可以謂之善者彼知吾之欲爲善也則或先之以善而終之以惡
或有指天下之惡而飾之以善古之人有爲之者石顯是也人之

將欲爲此釁也將欲建此事也必先得於其君欲成事而君有所不悅則事不可以成故古之姦雄刼之以其所必不能其所必不能者不可爲也則將反而從吾之所欲爲古之人有爲之者驪姬之說獻公使之老而避禍是也此數者天下之至情故聖人見其初而求其終聞其聲而推其形蓋惟能察人於無故之中故天下莫能欺何者無故者必有其故也古者明王在上天下之小人伏而不見夫小人者豈其能無意於天下也舉而見其情發而中其病是以愧恥退縮而不敢進臣欲天子明知君子之情以養當世之賢公名卿而深察小人之病以絕其自進之漸此亦天下之至明也

君術第三道

臣聞天子之道可以理得而不可以名推其於天下不取其形而獨取其意其道可以爲善而亦可以爲不善何者其道無常其道無常者不善之所從生也夫天下之人惟知不忍殺人之爲仁也是故不忍殺人以自取不仁之名惟知果於殺人之爲義也是故不敢不殺以自取不義之名是二者其所以爲仁者有形而其所以爲義者有狀其進也有所執其規而其退也有所蹈其矩故其爲人也不失爲天下之善人而終不至於君子有所甚而不堪有所蔽而不見此其爲人是自全之人也今夫君子有所殺人以爲仁而有所不殺以爲義義不在於殺人而仁不在於不殺其進也

無所據依而其退也無所底厲故其成也天下將皆安之而其不成也將使天下至於大亂是以天下惡其難明而畏其難就人臣以是戒其君而人君者亦以自戒曰姑爲無殺人以爲仁而姑爲果於殺人以爲義是其仁可以全身而其義可以無謗於天下斯足以爲無過也已矣孟子有言曰責難於君謂之恭陳善閉邪謂之有禮而謂吾君不能者謂之賊且夫爲人臣而詔其君不曰必爲大人之仁義而曰姑爲其易者以苟避天下之謗此非恐其君不能之故歟蓋臣聞之聖人之道惟其不可以名稱而迹求者其爲道也甚深而難成而其成也亦不若小道之淺而無功所御甚

以上二葉缺

廣而所處甚約握之甚微而播之無極故孔子曰吾非多學而識之吾一以貫之夫一者何也知天下萬物之理而制其所當處是謂一矣而能得吾一者甚難故夫天下之畏之者亦不足怪也古之聖人已能知之則行之而無疑已不能知之則不敢以已之私意而破天下之公義使已而不好殺人則安可盡無殺以成仁之形使已而好殺人則安可盡殺以成義之狀蓋必有大臣救其已甚而補其不足使義不在於殺人而仁不在於不殺方今天下之治所不足者非仁也吏聞有以入人之罪抵重罰而未聞有以失人之罪抵深法者民聞有以赦除其罪而未聞有以不義得罪於

法之外者此亦足以見天子之用心矣古者君臣之間和而不同上有寬厚之君則下有守法之臣上有急切之君則下有推恩之臣凡以交濟其所不足而彌縫其闕今也君臣之風上下如一而無以相濟是以天下苦於寬緩怠惰而不能自振此豈左右之大臣務以順從上意爲悅而豈亦天子自信以爲好仁之美而不喜臣下之有所矯拂哉方今之制易於行賞而重於用罰天下之以獄上者凡與死比則皆蹙頞而不悅此其爲意夫豈不善然天下之姦人無以深懲而切戒之者此無乃爲仁而至於不仁歟臣愚以爲輔君之善而補其不足此誠大臣之事苟天子自信以爲善

欲以一人之私好而破天下之公義則夫大臣者猶不可爲也惟知天子之仁義而無務其迹以成匹夫之節使大臣得參於其間而救其所短此不亦近於天子之道歟

君術策第四道

臣聞古者君臣之間相信如父子相愛如兄弟朝廷之中優游悅懌歡然相得而無間知無所不言言無所不盡開心平意表裏洞達終身而不見其隙當此之時天下之人出身以事君委命於上而無所憂懼安神定氣以觀天下之政蕩然肆志有所欲爲而上不見忌其所據者甚堅而無疑是以士大夫皆敢進而搏天下之

大功至於後世君臣相虞皆有猜防之憂君不敢以其誠心致諸其臣而臣亦不敢直已以行事二者相與齟齬而不相信上下相顧鰓鰓然而不能以自安而尙何暇及於天下之利害故天下之事每每擾敗而無所成就臣竊傷之而以爲其蔽在於防禁之太深而督責之太急夫古之聖人至嚴而有所至寬至易而有所至險使天下有所易信而有所不可測用之各當其處而不失節是以天下畏其嚴而樂其寬至於後世之君徒知天下之不可以甚寬也而用之其君臣之際使其公卿大臣終日憂懼不得安意肆志以自盡於其上而以爲畏威徒知天下之不可甚嚴也而用之

其法律之事使其天下之官吏欺其長上得以苟免取容不畏天子之法而以爲行惠盡其所以用之之術甚悖而不順者至於如此夫天下之人上自百官而下至於庶民其爲數安可窮盡而天子者以其一身寄乎其中論其衆寡之勢則天下至衆而天子至寡論其智詐巧僞之術則天下之衆固必有過於天子者吾欲臨之以天子之威則彼有畏憚而不敢言多爲之堤防以御其變詐則彼之智將有以出於堤防之所不能及是以古之聖人推之以至誠而御之以至威容之以至寬而待之以至易以君子長者之心待天下之士而不防其爲詐談笑議論無所不及以開其歡心

故天下士大夫皆欣然而入於其中有所愧恥而不忍為欺詐之行力行果斷而無憂懼不敢之意其所任用雖其兄弟朋友之親而不顧徇私之名其所誅戮雖其讎怨睚眦之人而不卹報怨之嫌何者君臣相信之篤此所謂至嚴而有所至寬者也然至大吏縱橫放肆犯法而無所忌天下之所指目律令之所當取則雖天子有所不可輒釋使之一人而不可解而後天下知有所畏此所謂至易而有所至險二者其事不同而相與爲用夫是以至寬而天下無頹惰靡弛之風至險而君臣無猜防逼迫之慮夫惟能通其君臣之歡而盡行其刑法之所禁而後可以及此也

君術策第五道

臣聞事有若緩而其變甚急者，天下之勢是也。天下之人，幼而習之，長而成之，相咻而成風，相比而成俗，縱橫顛倒，紛紛而不知以自定。當此之時，其上之人，刑之則懼，驅之則聽，其勢若無能爲者。然及其爲變，常至於破壞而不可禦。故夫天子者，觀天下之勢而制其所向，以定其所歸者也。夫天下之人，弛而縱之，拱手而視其所爲，則其勢無所不至。其狀如長江大河，日夜渾渾，趨於下而不能止，抵曲則激，激而無所洩，則咆勃潰亂，蕩然而四出，壞隄防，包陵谷，汗漫而無所制。故善治水者，因其所入而導之，則其勢不至於激

怒坌湧而不可收既激矣又能徐徐而洩之則其勢不至於破決
蕩溢而不可止然天下之人常狎其安流無事之不足畏也而不
爲去其所激觀其激作相蹷潰亂未發之際而以爲不至於大懼
不能徐洩其怒是以遂至横流於中原而不可卒治昔者天下既
安其人皆欲安坐而守之循循以爲敦厚默默以爲忠信忠臣義
士之氣憤悶而不得發豪俊之士不忍其鬱鬱之心起而振之而
世之士大夫好勇而輕進喜氣而不懾者皆樂從而羣和之直言
忤世而不顧直行犯上而不忌今之君子累累而從事於此矣然
天下猶有所不從其餘風故俗猶衆而未去相與抗拒而勝負之

數來有所定邪正相搏曲直枉犯二者潰潰而不知其所終極蓋天下之勢已少激矣而上之人不從而遂決其壅臣恐天下之賢人不勝其忿而自決之也夫惟天子之尊有所欲爲而天下從之今不爲決之於上而聽其自決則天下之不同者將悖然而不服而天下之豪俊亦將奮踴不顧而力決之發而不中故大者傷小者死橫潰而不可救譬如東漢之士李膺杜密范滂張儉之黨慷慨議論本欲矯拂世俗之弊而當時之君不爲分別天下之邪正以快其氣而使天下之士發憤欲自決之而天下遂以大亂由此觀之則夫英雄之士不可以不少遂其意也是以治水者惟能使

之日夜流注而不息則雖有蛟龍鯨鯢之患亦將順流奔走奮迅
悅豫而不暇及於爲變苟其瀦畜渾亂壅閉而不決則水之百怪
皆將勃然放肆求以自快其意而不可禦故夫天下亦不可不爲
少決以順適其意也

蘇文定公應詔集卷第六

欒城應詔集卷六終

欒城應詔集卷之七

宋眉山蘇轍子由著

明東吳王執禮子敬
顧天敘禮初仝校

臣事策上五道

臣事策上第一道

天下有權臣有重臣，二者其迹相近而難明。天下之人知惡夫權臣之專，而世之重臣亦遂不容於其間。夫權臣者，天下不可一日而有；而重臣者，天下不可一日而無也。天下徒見其外，而不察其中，見其皆侵天子之權，而不察其所爲之不類，是以舉皆嫉之而無所喜此亦已太過也今夫權臣之所爲者重臣之所切齒而重臣之所取者權臣之所不顧也將爲權臣耶必將內悅其君之心委曲聽順而無所違戾外竊其生殺予奪之柄黜陟天下以見巳之權而沒其君之威惠內能使其君歡愛悅懌無所不順而安爲之上外能使其公卿大夫百官庶吏無所歸命而爭爲之腹心上愛下順合而爲一然後權臣之勢遂成而不可拔至於重臣則不然君有所爲不可而必爭爭之不能而其事有所必不可聽則專行而不顧待其成敗之迹著則上之心將釋然而自解其在朝廷之中天子爲之踧然而有所畏士大夫不敢安肆怠惰於其側爵

祿慶賞已得以議其可否而不求以爲己之私惠刀鋸斧鉞已得以參其輕重而不求以爲己之私勢要以使天子有所不可必爲而羣下有所震懼而已不與其利何者爲重臣者不待天下之歸已而爲權臣者亦無所事天子之畏已也故各因其行事而觀其意之所在則天下誰可欺者臣故曰爲天下安可一日無重臣也且今使天下而無重臣則朝廷之事惟天子之所爲而無所可否雖天子有納諫之明而百官畏懼戰慄無平昔尊重之勢誰肯觸忌諱冒罪戾而爲天下言者惟其小小得失之際乃敢上章讙譁而無所懼至於國之大事安危存亡之所繫則將卷舌而去誰敢

發而受其禍此人主之所大患也悲夫後世之君徒見天下之權臣出入唯唯以爲有禮而不知此乃所以潛潰其國徒見天下之重臣剛毅果敢喜逆其意則以爲不遜而不知其有社稷之慮二者淆亂於心而不能辨其邪正是以喪亂相仍而不悟何足傷也

昔者衞太子聚兵以誅江充武帝震怒發兵而攻之京師至使丞相太子相與交戰不勝而走又使天下極其所往而翦滅其迹當此之時苟有重臣出身而當之擁護太子以待上意之少解徐發其所蔽而開其所怒則其父子之際尚可得而全也惟無重臣故天下皆知之而不敢言臣愚以爲凡爲天下宜有以養其重臣之

威使天下百官有所畏忌而緩急之間能有所堅忍持重而不可奪者竊觀方今四海無變非常之事宜其息而不作然及今日而慮之則可以無異日之患不然者誰能知其果無有也而不爲之計哉抑臣聞之今世之弊在於法禁太密一舉足不如律令法吏且以爲言而不問其意之所屬是以雖天子之大臣亦安敢有所爲於法律之外以安天下之大事故爲天子之計莫若少寬其法使大臣得有所守而不爲法之所奪昔申屠嘉爲丞相至召天子之倖臣鄧通立之堂下而詰責其過是時通幾至於死而不救天子知之亦不以爲怪而申屠嘉亦卒非漢之權臣由此觀之重臣

何損於天下哉

臣事策上第二道

仲尼之稱管仲曰奪伯氏駢邑三百飯蔬食沒齒無怨言及讀蜀志其言諸葛孔明遷李平廢廖立及孔明既死而此二人皆哭泣有至死者臣每讀其書至此未嘗不嗟嘆古人之不可及而竊悲今世之不能也夫爲天下國家惟剛者能守其法而公者能以剛服天下曾子曰士不可以不彊毅任重而道遠天下者天子之天下也賞罰之柄予奪之事其出於天子本無敢言者惟其不公故有一人焉受戮而去雖其當罪而亦勃然有不服之心而上之人雖其甚公於此而亦畏其不服而不敢顯然明斥其罪故夫天下

之不公足以敗天下之至剛而天下之不剛亦足以破天下之至公二者相與並行然後可以深服天下之衆臣嘗竊悲唐季五代之亂外有執兵強忿之臣威蓋天下而以其力內脅天子天子不敢輒忤其意意有所不悅則其上下不能自保當此之時人主務爲安身之政不敢以其剛心而守其公事此其勢不得不然耳方今海內治安外無諸侯之虞而內無執政之患然臣竊觀之於政令刑賞之際常若有所畏而不敢自必者此其故何也夫朝廷之臣無罪而罷有罪而黜此爲臣之常也故其有罪以爲當黜則官必削以爲不當黜則無故而置之外地猶爲不可也今有罪而排

之於外反從而增其爵秩是將以爲賞耶爲刑耶是不可得而知也蓋曰姑以鎮撫其耿耿之意彼其失爲近臣而去也雖賜之千金而猶有所慊然於其心且天下之罪人而皆欲滿其所懷則爲天子安可以有所刑戮哉然而事之所不平者又非特如此也黜之者一人則必有排而辨之者一人以爲黜者之有所不悅乎其辨之者也而使與之皆黜夫此二人其罪果誰在乎以其言而黜人亦以其言而黜之是爲黜者報仇耳是以天下雖無強臣之災而臣下竊揣天子之心皆有所持而邀之此其弊始於執之不剛而成於守之不公夫朝廷之事臣安得知其有所不公者然竊怪

每有所除吏民間莫不切切口語以爲此誰人之親戚故舊而得之者每有所措置亦莫不以爲此誰人之所欲而行之者使上之人凡果如此則宜乎人之受罪而不服而吾亦不敢以加於人也詩云人亦有言柔則茹之剛則吐之唯仲山甫柔亦不茹剛亦不吐不侮鰥寡不畏强禦夫人惟能不侮鰥寡也而後能不畏强禦臣故曰惟公者能以剛服天下此其勢然也且夫古之爲君者有所大樂而今世不知也人君之樂非樂夫有天下而樂得與天下去惡而奬善以快吾志今使天下有不義之臣誅之不獲又從而尊之尊之不足以爲悅而又從而黜其所怨以慰其盛怒此三事

者夫豈爲君之樂哉蓋事有所不可並從而欲不可以皆得今夫人之有所私愛而不公者是亦人之所樂焉耳然其爲樂有所害於爲君之樂是以不若棄彼而全此也且事之利害有知之而患不可爲者有患不知之而知之則可行者今欲潔然無私而行吾法之所至有罪而黜黜而無所姑息使天下皆知賞之爲賞罰之爲罰此非有所勤苦而難成者而顧患不肯爲夫管仲孔明惟其爲之而已哉

臣事策上第三道

天下有無窮之才不叩則不鳴不觸則不發是以古之聖人迎其好善之端而作其勉強之氣洗濯磨淬日夜不息凡此將以求盡天下之無窮也夫天下譬如大器焉有器不用而寘諸牖下久則蠹生其中故善用器者提攜不去時濯而溉之使之日親於人而獲盡其力以無速敗有小丈夫徒知愛其器而不知所以爲愛也知措諸地之安而不知不釋吾手之爲不壞也是以事不得成而其器速朽且夫天下之物人則皆用其形而不求其神也神者何也物之精華果鋭之氣也精華果鋭之氣其在物也煒然而有光

確然而能堅是氣也亡則物皆㯰然無所用之夫是氣也時叩而存之則日長而不衰置而不知求則脫去而不居是氣也物莫不有也而人爲甚孟子有言曰人之日夜之所息與平旦之氣晝日之所爲有以梏亡之矣梏之反覆則其夜氣不足以存夫夜氣者所謂精華果銳之氣也天下亂則君子有以自養而全之而天下治則天子養之以求其用今夫朝廷之精明戰陣之勇力獄訟之所以能盡其情而錢穀之所以能治其要處天下之紛紜而物莫能亂者皆是氣之所爲也蓋古者英雄之君惟能叩天下之才而存之是以有求而必從有欲而必得漢武帝唐太宗國富而兵強

所欲如意而天下之才用之不見其盡當其季年元臣宿將死者大半而新進之士亦有足以辨天下由此觀之則天下固有無窮之才而獨患乎上之不叩不觸而使其神弛放而不張也臣竊觀當今之人治文章習議論明會計聽獄訟所以爲治者其類莫不備具而天下之所少者獨將帥武力之臣往者天下既安先世老將已死而西寇作難當此之時天子茲然反顧思得奇才良將以屬之兵而終莫可得其後數年邊鄙日蹙兵勢日急士大夫始漸習兵而西夏臣服以至於今文將十有餘年而曩之所謂西邊之良將者亦已略盡矣而天下之人未知誰可任以爲將此甚可慮

也夫天下之事莫難於用兵而今世之所畏莫甚於爲將責之以難事強之以其所甚畏而不作其氣是以將帥之士若此不可得也蓋嘗聞之善用兵者雖匹夫之賊亦莫不養其氣而後求其用方其未戰也使之投石超距以致其勇故其後遇敵而不懼見難而效死何者氣盛故也今天下有大弊二以天下之治安而薄天下之武臣以天下之冗官而廢天下之武舉彼其見天下之方然則摧沮退縮而無自喜之意今之武臣其子孫之家往往轉而從進士矣故臣欲復武舉重武臣而天子時亦親試之以騎射以觀其能否而爲之賞罰如唐正觀之故事雖未足以盡天下之奇才

要以使之知上意之所悅有以自重而爭盡其力則夫將帥之士可以漸見矣

臣聞

言事策上第四道

天下之患無常處也惟見天下之患而去之就其所安而從之則可久而無憂有淺丈夫見其生於東也而盡力於東以忘其西見其起於外也而銳意於外以忘其中是以禍生於無常而變起於不測莫能救也昔者西漢之禍當文景之世天下莫不以爲必起於諸侯之太強也然至武帝之時七國之餘日以漸衰天下坦然四顧以爲無虞而陵夷至於元成之間朝廷之強臣實制其命而漢以不祀世祖顯宗既平天下以爲世之所患莫不在乎朝廷之強臣矣而東漢之亡其禍乃起於宦官由此觀之則天下之患安

在其防之哉人之將死也或病於太勞或病於飲酒天下之人見其死於此也而曰必無勞力與飲酒則是不亦拘而害事哉彼其死也必有以啓之是以勞力而能爲災飲酒而能爲病而天下之人豈必皆死於此昔唐季五代之亂果何在也海內之兵各隸其將大者數十萬人而小者不下數萬撫循鞠養美衣豐食同其甘苦而順其好惡甚者養以爲子而授之以其姓故當是時軍旅之士各知其將而不識天子之惡君有所令不從而聽其將而將之所爲雖有大姦不義而無所違拒故其亂也姦臣擅命擁兵而不可制而方其不爲亂也所攻而必降所守而必固良將勁兵遍於

天下其所摧敗破滅足以上快天子鬱鬱之心而外抗敵國竊發之難何者兵安其將而樂爲用命也然今世之人遂以其亂爲戒而不收其功舉天下之兵數百萬人而不立素將將兵者無腹心親愛之兵而士卒亦無附著而欲爲之效命者故命將之日士卒不知其何人皆莫敢仰視其面夫莫敢仰視是禍之本也此其爲禍非有脅從駢起之殃緩則畏而怨之而有急則無不忍之意此二者用兵之深忌而當今之人蓋亦已知之矣然而不敢改者畏唐季五代之禍也而臣竊以爲不然天下之事有此利也則必有此害天下之無全利是聖人之所不能如之何也而聖人之所能

要在不究其利利未究而變其方使其害未至而事已遷故能享天下之利而不受其害昔唐季五代之法豈不大利於世惟其利已盡而不知變是以其害隨之而生故我太祖太宗以爲不可以長久而改易其政以便一時之安爲將者去其兵權而爲兵者使不知將凡此皆所以杜天下之私恩而破其私計其意以爲足以變五代豪將之風而非以爲後世之可長用也故臣以爲當今之勢不變其法無以求成功且夫邀天下之大利則必有所犯天下之危欲享大利而顧其全安則事不可成而方今之弊在乎不欲有所搖撼而徒得天下之利不欲有所勞苦而遂致天下之安今

夫欲人之成功必先捐兵以與人欲先捐兵以與人則先事於擇將擇將而得將苟誠知其忠雖舉天下以與之而無憂而況數萬之兵哉昔唐之亂其爲變者非其所命之將也而皆其盜賊之人所不得已而以爲將者故夫將帥豈必盡疑其爲姦要以無畏其擇之之勞而遂以破天下之大利蓋天下之患夫豈必在此也

臣事策五第五道

天下之勇士可使用兵而不可使主兵天下之智士可使主兵而不可使養兵養兵者君子之事也故用兵之難而養兵爲尤難何者士氣之難伏也舉兵而征行三軍之士其心在號令而其氣在戰息兵而爲營三軍之士其心在壘壁而其氣在禦陣兵而遇敵三軍之士其心在白刃而其氣在勝氣之所在者義之所向也故兵在外士氣在敵而不在其上不在其上是故撫之而易悅予之而易足誅之而易定動之而易使其上之人御之以勇而驅之以智則百萬之衆可以無足憂者及夫天下既安三軍之士各反其

家美衣甘食優游無爲投石超距不足以洩其怒而各求其上之所短當此之時軍中之士環視四顧而始不可忍矣是故久於不用則其意不欲復戰久於不使則其意不欲復役夫惟不欲而強使之與之出戰則不樂而與之從役則爲亂此必然之勢也夫古者兵出於農其欲動之尤難然當周之季諸侯之強天下之民日起而操兵齊晉秦楚以其兵車徜徉天下萬里而後反而天下之人民不敢言病至於後世平居無事嘗竭天下以養士卒一旦有急當得其力乃反傲睨邀賞不肎即去夫其平時衣食其上有難而起起而鬭死有事而役役而盡力此其勢宜若愈於三代之農夫

矣而當今方病其不然此豈非其養之之過歟臣觀天下之兵其數莫如京師之多而士卒之趑趄難制亦莫如京師之甚何者天子在焉以仁御兵士不知戰而狃於賞令之稍急則瞋目攘臂而言不遜此其可惡也且京師宗廟禁闈之所在而使不義之徒周環衛列於其左右而尚何以爲安臣聞養兵而兵驕戾其責在將方今京師之將所任者誰乎匹夫小人以次當遷而爲之什百之長此其爲名尚未離乎卒伍也而其上之所統獨有三太尉推而上之則至於樞密使如此四大臣者非在什伍部曲之間以日夕訓練之者也且夫卒未親附而罰之則不服不服則難用也令使

大臣獨制其上恩意不交而德澤不洽上下不相信特以勢相從而無以義附者則是未可以法治也使朝廷大臣而曲躬傴僂親問疾苦如巽時出兵行陣之間此則其勢有所不給矣古者南北軍有監軍御史有護軍諸校各有軍正正丞是以任安胡建之徒忠信守節之士得以出入軍中獲其歡心而後訓之以禮繩之以法有所誅滅而士卒皆服如此而後兵可用也今奈何獨使狠戾之人自相臨御而天子獨以貪暴無知之匹夫爲左右之衛哉臣愚以爲略如漢制設爲諸校使常處軍中既以撫之且漸誅戮其豪橫而訓之知禮傳曰晉悼公知欒糾之能御以和于政也以爲

戎御使訓諸御知義知荀賓之有力而不暴也以爲戎右使訓勇力之士時使故軍中之吏非其近之則不能得其歡心不得其心則雖有法而不能用有法不能用則士不可以勞苦而兵不可以應卒有兵不可以應卒而有將不能以使衆此最天下之大患也

蘇文定公應詔集卷第七

新城應詔集卷之七終

欒城應詔集卷之八

宋眉山蘇轍子由著　　明東吳王執禮子敬　顧天敘禮初　仝校

蘇文定公應詔集卷第八

□進策

□□臣事下五道下

□□第臣事六

臣聞聖人之治天下，常使人有孜孜不已之意，下自一介之民，與凡百執事之人，咸願竭其筋力，以自附於上，而上至公卿大夫，雖其甚尊，志得意滿，無所求望，而亦莫不勞苦其思慮，日夜求進而不息至有一沐而三握一飯而三吐食不暇飽臥不暇煖汲汲於事常若有所未足者是以天下之事小大畢舉無所廢敗而上之人可以不勞力而萬事皆理昔者世之隆替臣常已略觀之矣堯舜之時洚水橫流民不粒食事變繁多災害並興而堯舜之身至於垂拱而無爲何者天下之人各爲之用力而不辭也至於末世海內乂安四方無虞人生於其間其勢皆有荒怠之心各安其所而不願有所興作故天下漸以衰憊而不振詩曰周雖舊邦其命維新夫國之所以至於亡者惟其舊而無以新之歟天下舊而不復新則其事業有所斷而不復續當此之時而不知與之相期於

長久不已之道而時作其怠惰之氣則天下之事幾乎息矣嗟夫道路之人使之趨十里而與之百錢則十里而止使之趨百里而與之千錢則百里而止何者所與期者止於十里與百里而其利亦止於此而已今世之士何以異此出於布衣者其志不過一命之祿既命則忘其布衣之學仕於州縣者其志不過於改官之寵官既改則喪其州縣之節自是以上因循遷遷十有餘年之間則其勢自至於郡守此不待有所修飾而至者其志極矣幸而其間有欲持自奮厲之心然後其意稍廣而不肯自棄於貪汙之黨外自漕刑而自臺諫館閣而至於兩制亦又極矣又幸而有求爲宰

相者則其志又益廣至於宰相而極矣盖天子之所以使天下慕悅而樂爲吾用者下自一命之臣而上至於宰相其節級相次者有四而已彼其一命者或無望於改官郡守者或無望於兩制兩制者或無望於宰相而爲宰相者無所復望則各安於其所而誰肯爲天子盡力者且夫世之士大夫如此其衆也仁人君子如此其不少也而臣何敢妄有以詆之哉盖臣聞之方今之人其已改官者有廉隅節幹之效常不若其在州縣之時而爲兩制者其慷慨勁挺之操常不若其爲漕刑臺諫之日雖其奇才偉人卓然特異不爲利變者固不在此而世之爲此者亦已衆矣夫以爵祿而

能謅龍

勸天下爵祿已極則人之怠心生以術使天下則天下之人終身奔走而不知止昔者漢之官吏自縣令而爲刺史自刺史而爲郡守自郡守而爲九卿自九卿而爲三公自下而上至於人臣之極者亦有四而已然當此之時吏久於官而不知厭方今　朝廷郡縣之職列級分等不可勝數從其下而爲之三歲而一遷至於終身可以無倦矣而人亦各自知其分之所止而淸高顯榮者雖至老死而不可輙入是以在位者懈而不可自奮何者彼能通其君臣之歡坦然其無高下峻絶不可扳援之勢而吾則不然今天下之小臣因其朝見而勞其勤苦丁寧訪問以開導其心志且時擇

其尤勤勞者有以賜予之使知　朝廷之不甚遠而皆有望於其
間上之大吏時召而賜之閒燕與之講論政事而勉之於功名相
邀於後世不朽之際與夫子孫皆享其福之利時亦有以督責其
荒怠弛廢之愆使之有所愧耻於天子之恩意而不倦於事此豈
非臣所謂奔走天下之材歟

臣事策下第三道

聖人之於人不恃其必然而恃吾有以使之不恃其皆賢而恃吾
有以驅之夫使天下之人皆有忠信正直之心則為天下安殺乎
聖人惟其不然是以使之有方驅之有術不可一日而去也今夫
天下之官莫不以為可任而後任之矣上自兩府之大臣而下至
於九品之賤吏近自朝廷之中而遠至於千里之外上下相伺而
左右相覺不為不密也然又內為之御史而外為之漕刑使督察
天下之參人而糾其不法如此則天下何恃其皆賢而期之以必
然哉然尚有所未盡者蓋天下之事任人不若任勢而變吏不如

侍

變法法行而勢立則天下之吏雖其非賢而皆欲勉強以求成功故天子可以不勞而得忠良之臣今世之弊任弊法而用不便之勢勞苦於求賢而不知為法之弊是以天下幸而得賢則可以僥倖於治安不幸而無賢焉則遂靡靡而無振且御史漕刑天子之所恃以知百官之能否者也今不為之立法而望其皆賢故臣所謂有所未盡者謂此事也夫此二官雖其內外之不同而其於擊搏羣下權勢輕重本無以相遠也而自近歲以來為御史者莫不洗濯磨淬以自見其圭角慷慨論列不顧天下之怨是以朝廷之中上無容姦而下無宿詐正直之大莫不相慶以為庶幾可以大

治然臣愚以謂方今內肅而外不振千里之外貪吏晝日取人之
金而莫之或禁遠人咨嗟無所告訴莫不飲泣太息仰而呼天者
深惟國家所以設漕刑之意正以天下有此等不平之故耳今海
內幸無變而遠方之民戚然皆苦貪吏之禍則所謂漕刑者尚何
以爲然人之性不甚相遠豈其爲御史則皆有嫉惡之心而至於
漕刑則皆得鹵莽苟容之人蓋上之所以使之者未至也臣觀御
史之職雖其屬吏之中苟有能出身盡命排擊天下之姦邪則數
年之間可以至於兩制而無難而其不能者退斥罷免不免爲碌
碌之吏是以御史皆務爲訐直之行而漕刑之官雖端坐默默無

所發擿其終亦不失爲兩制而其抗直不撓者亦不過如此而徒取天下之怨是以皆好爲寬仁以收敦厚之名豈國家知用之御史而不知用之漕刑哉臣欲使兩府大臣詳察天下漕刑之官雖其有所舉按不畏強禦者而後使得至於兩制而其不然者不免爲常吏變法而任勢與之更新使天下之官吏各從其勢之所便而爲之而其上之人得賢而任之則固已大善如其不幸而無賢則亦不至於紛亂而不可治雖一庸人亦可使之自力而爲政如此則天下將內嚴而外明姦吏求以自伏而不得其處天下庶乎可以爲治矣

臣事策下第三道

天下惟其有權者可以使人有利者可以得衆權者天下之所爲去就也利者天下之所爲奔走也能是非可否者之謂權能貧富貴賤者之謂利天子者收天下之權而自執之斂天下之利而親用之者也故天下之人上自公卿大夫之尊而下至於閭閻匹夫之賤府史胥徒僮僕奴妾以次相屬而相役至於疲弊勞苦老死而不去緩急可以使之相救危難可以使之相死蹈白刃赴深谷可使用命而不敢辭何者彼利於人者固役於人也千金之家持其羸餘以匄貸鄉里之貧民薄息緩取而可以豪横於鄉黨刺客

武士爲之效死而莫之能制此權利之所致也臣聞天子者執天下之權而擅四海九州之利爵祿慶賞金玉錢幣此其富非特千金之利也予奪可否刑戮誅滅此其勢非特千金之權也古之人君得天下之權利而專之是故所爲而成所欲而就謀臣猛將爲之盡力有死而無二社稷之臣可使死宗廟郡縣之臣可使死封疆文吏可使死其職武吏可使死其兵天下之人其存心積慮皆以爲當然是以寇至而不懼難生而無變方其平居無事之際天子衣食而養之以待天下之事故有事而死亦其勢然也然當今天下之人食天子之祿被天子之爵衣青紫佩印綬從吏卒縱橫

蘇奕者常徧天下一旦有急皆莫肯死者此其可怪也往年廣南之亂大吏據城擁兵賊至而莫敢擊逃遁奔竄伏於草莽之間以避兵革之禍至使蠻夷之人得以橫行於中原人民流離方數千里幾爲丘墟而無一死戰之吏國家每歲收天下之士士之發於饑寒取官而去者動以數百爲輩六年之間考足而無過則又爲之改爵而增其祿秩幸而有超羣拔類之才則公卿大臣又得薦之於天子而特寵貴之翱翔朝廷之間不出十年可以安坐談笑而爲兩制此其爲法尚何所負於天下而士大夫終莫肯奮而爲之用宜也夫明哲之君以其法遂天下今天下之人反以其法邀

之故邀在我則奔走者人也邀在人則奔走者我也今世之法夫豈不欲以邀人哉涖官六七考求舉者五六人凡此皆備具而無所過失然後爲之改爵而增其祿秩夫此豈誠足以邀人哉爲法而不足以邀人則人將反以吾法而相邀今之官吏考足而無過且有舉者則天子寧有以却之耶是不得不從而予之矣如此則是天子之爵祿非天子之惠而天下之勢也士大夫以勢取爵祿是以舉皆不德其上凡今天子之權反而入於下而天子之利變而爲輕取易得之物矣蓋臣聞天下有二弊有法亂之弊有法弊之弊法亂則使人紛紛而無所執法弊則使人牽制而不自得古

之聖人法亂則以立法救之而法弊則受之以無法夫無法者非縱橫放肆之謂也上之人投棄規矩而使天下無所執以邀其君是之謂無法今夫官吏之法其亦無曰舉者與考而已使一二大臣得詳其才與不才舉者具而考足才者與之而不才者罝之雖有考不足而舉者不具其可與者則亦與之也凡皆務與天下爲所不可測使吏無所執吾法以邀我收天子之權利而歸之於上如此則議者將以爲蕩然無法則大吏易以爲姦臣聞人惟不爲姦也而後任以爲大吏苟天下之廣而無一二大臣可信者則國非其國矣且自唐季以來世之設法者始皆務以防其大臣蓋唐

之盛時其所以試天下之士與調天下之選人者皆無一定之法而惟有司之爲聽夫是以下不得邀其上而上有以役其下臣故曰惟有權者可以使人有利者可以得衆此不可不深察也

臣事策下第四道

聖人之爲天下不務逆人之心人心之所向因而順之人心之所去因而廢之故天下樂從其所爲惟其一人之所欲不可以施於天下不得已而後有所矯拂而不用蓋非以爲天下之人皆不可以順適其意也昔生民之初生而有饑寒牝牡之患飲食男女之際天下之所同欲也而聖人不求絶其情又從而爲之節文教之炮燔烹飪嫁娶生養之道使皆得其志是以天下安其法而不怨後世有小丈夫不達其意之本末而以爲禮義之教皆聖人之所作爲以制天下之非僻徒見天下邪放之民皆不便於禮義之法

乃欲務矯天下之情置其所好而施其所惡此何其不思之甚也且雖聖人不能有所施設以驅天下蓋因天下之所安而遂成其法如此而已如使聖人而不與天下同心違衆矯世以自立其說則天下幾何其不叛而去也今之說者則不然以爲天下之私欲必有害於國之公事而國之公事亦必有所拂於天下之私欲分而異之使天下公私之際譬如胡越之不可以相通不恤人情之所不安而獨求見其所以爲至公而無私者蓋事之不通莫不由此之故今夫人之情非其所樂而強使爲之則皆有怏怏不快之心是故所爲而無成所在而不稱其職臣聞方今之制吏之生於

南者必置於北生於東者必投於西嶺南吳越之人而必使冒苦寒踐霜雪以治燕趙之事秦隴蜀漢之士而必使涉江湖衝霧露以守揚越之地雖其上之人逼而行之無所不從而行者望其所之怨嘆咨嗟不能以自安吏卒送迎於道路遠者涉數千里財用殫竭困弊於外既至而好惡不相通風俗不相習耳目之所見飲食之所便皆不得其常譬如僑居於他鄉其心常屑屑而不舒數日求去而不肎慮長久之計民不喜其吏而吏不善其俗二者相與齟齬而不合以不暇有所施設而吏之生於其地者莫不自以爲天下之所不若而今之法爲吏者不得還處其鄉里雖數百里

之外亦輒不可而又以京師之所在而定天下遠近之次凡京師之人所謂近者皆四方之所謂至遠而京師之所謂遠者或四方之所謂近也今欲以近優累勞之吏而不知其有不樂者爲此之故也且夫人生於鄉閭之中其親戚墳墓不過百里之間至於千里之內則譬如道路之人亦何所施其私而又風俗相安上下相信知其利害而詳其好惡近者安處其近而遠者樂得其遠二者各獲其所求而無汲汲之心耳目開明而心不亂可以容有所立凡此數者蓋亦無損於國矣而特守此區區無益之公此豈王者之意哉且三代之時九州之中建國千有八百大者不過百里

而小者數十里數十里之間民之爲士者有之爲大夫者有之凡所以治其國人者亦其國人也安得異國之人而後用哉臣愚以爲如此之類可一切革去以順天下之欲令使天下之吏皆同爲姦則雖非其鄉里而亦不可有所復容苟以爲可任則雖其父母之國豈必多置節目以防其弊而況處之數百千里之間哉

臣事策下第五道

夫人之道行之而可名名之而可言布之天下而無疑施之後世而無愧堂堂乎立於四海雖一介之士而無所不安此其所以為大人之道歟今夫天下之人天子誰不役其力者而天下皆不敢以為非此誠得其可役之名而役之是以天子安坐於上而士大夫為之奔走於下大者為之運籌畫策治百官以濟其大事而小者為之按米鹽視鞭箠以奉其小職文吏為之簿書會計詳其出內取予之數而使天下不敢欺武吏為之擐金被革習其戰陣攻鬬之事而使天下不敢犯勞苦其筋力而罄竭其思慮甚者捐首

頒暴骨肉於原野而不知避何者食其祿也至於田野之民耕田而食或生而不至市井然及其有稅而可役趨走於縣吏之前恭謹有禮不教而自習而其尤難者至使之斬捕盜賊挽弓巡徼疲弊而不敢求免此豈非食其地之故歟故夫天下之人凡天子之所得而使令者皆可得而名也而臣竊怪府史胥徒古者皆有祿以食其家而其不足者皆得計口而受田以補其不給夫是以能使之盡力於公事而不卹其私計蓋周之所謂官田者府史胥徒之田也而今世之法收市人而補以爲吏無祿以養其身而無田以畜其妻子又有鞭朴戮辱之患而天下之人皆喜爲之其所以

責之者甚煩且難而其所以使之者無名而可言而其甚者又使

之反入錢而後補雖得復役而其所免不足以償其終身之勞此

獨何也天子以無名使之而天下之人亦肎以無名而爲之此豈

可不求其情哉夫天子舉四海而寄之其臣郡縣之官又舉而寄

之其郡縣之小吏刑法之輕重財用之多少無所不在是以掌倉

庫者得以爲盜而治獄訟者得以爲姦爲姦之利上足以養父母

而下足以畜妻子其所以無故而安爲之者爲此之故也是以雖

無爵祿之勸而可得而使雖有刑戮恥辱之患而不肯捨而去而

其上之人驅其無祿之身而遇之以有祿之法恬不爲怪此乃公

使之爲姦以當其所當得之祿而遂以爲可得而使也如此則尚何以示天下臣愚以爲凡人之在官不可以無故而用其力或使以其稅而或使以其祿故夫府史胥不可以無祿使也然臣觀之方今天下吾財用之不給而用度有所不足其勢必無以及此而古者周官之法民之爲訟者入束矢爲獄者入鈞金視其不直者而納其所入蓋自秦漢以來其法始廢而不用今臣亦欲使天下之至於獄者皆有所入於官以自見其直而其不直者亦皆沒其所入以爲胥吏之俸祿辨其等差而別其多少以時給之以足其衣食之用其所以取之於民者不苛而其所以爲利者甚博蓋

上之於民常患其好訟而不直以身試法而無所畏忌刑之而又使之有入於官此所以深懲其心而又其所得止以厚吏此有以見乎非貪民之財也而爲吏者可以無俟爲姦而有以自養名正而言順雖其爲姦從而戮之則(亦)無愧乎吾心嗚呼古之所謂正名者猶此類也夫

蘇文定公應詔集卷第八

蘇文定公應詔集卷第九

進策

民政五道上

民政一

民政策上第一道

臣聞王道之至於民也其亦深矣賢人君子自潔於上而民不免爲小人朝廷之間揖讓如禮而民不免爲盜賊禮行於上而淫僻邪放之風起於下而不能止此猶未免爲王道之未成也王道之本始於民之自喜而成於民之相愛而王者之所以求之其民者其粗始於力田而其精極於孝悌廉恥之際力田者民之最勞而孝悌廉恥者匹夫匹婦之所不悅強所最勞而使之有自喜之心勸所不悅而使之有相愛之意故夫王道之成而及其至於民其亦深矣古者天下之災水旱相仍而上下不相保此其禍起於民之不

自喜於力田天下之亂盜賊放恣兵革不息而民不樂業此其禍起於民之不相愛而棄其孝悌廉恥之節夫自喜則雖有大勞而其事不遷相愛則雖有強很之心而顧其親戚之樂以不忍自棄於不義此二者王道之大權也方今天下之人狃於工商之利而不喜於農惟其最愚下之人自知其無能然後安於田畝而不去山林饑餓之民皆有盜跖趑趄之心而閨門之內父子交忿而不知反朝廷之上雖有賢人而其教不逮於下是故士大夫之間莫不以爲王道之遠而難成也然臣竊觀三代之遺文至於詩而以爲王道之成有所易而不難者夫人之不喜乎此是未得爲此之

缺一葉

味也故聖人之爲詩道其耕耨播種之勤而述其歲終倉廩豐實婦子喜樂之際以感動其意故曰畟畟良耜俶載南畝播厥百穀實函斯活或來瞻女載筐及筥其饟伊黍其笠伊糾其鎛斯趙以薅荼蓼當此時也民既勞矣故爲之言其室家來饁而慰勞之者以勉卒其事而其終章曰荼蓼朽止黍稷茂止穫之桎桎積之栗栗其崇如墉其比如櫛以開百室百室盈止婦子寧止殺時犉牡有捄其角以似以續續古之人當此之時歲功既畢民之勞者得以與其婦子皆樂於此休息閑暇飲酒食肉以自快於一歲則夫勤者有以自忘其勤盡力者有以輕用其力而狠戾無親之人有

所慕悅而自改其操此非獨於詩云爾導之使獲其利而教之使知其樂亦如是也且民之性固安於所樂而悅於所利此臣所以爲王道之無難者也蓋臣聞之誘民之勢遠莫如近而近莫如其所與競今行於朝廷之中而田野之民無遷善之心此豈非其遠而難至者哉明擇郡縣之吏而謹法律之禁刑者布市而頑民不悛夫鄉黨之民其視郡縣之吏自以爲非其比肩之人徒能畏其用法而袒背受笞於其前不爲之愧此其勢可以及民之明罪而不可以及其隱慝此豈非其近而無所與競者耶惟其里巷親戚之間幼之所與同戲而壯之所與共事此其所與競者也臣愚以

謂古者郡縣有三老嗇夫今可使推擇民之孝悌無過力田不惰爲民之素所服者爲之無使治事而使譏誚教誨其民之怠惰而無良者而歲時伏臘郡縣頗置禮焉以風天下使慕悅其事使民皆有愧恥勉強不服之心今不從民之所與競而教之而從其所素畏夫其所素畏者彼不且以爲伍而何敢求望其萬一故教天下自所與競者始而王道可以漸至於下矣

口口口臣聞

民政策上第二道

三代之盛時，天下之人自匹夫以上莫不務自修潔以求爲君子。父子相愛，兄弟相悅，孝悌忠信之美，發於士大夫之間，而下至於田畝，朝夕從事，終身而不厭。至於戰國，王道衰息，秦人驅其民而納之於耕耘戰鬭之中，天下翕然而從之。南畝之民，而皆爭爲干戈旗鼓之事，以首爭首，以力搏力，進則有死於戰，退則有死於將，其患無所不至。夫周秦之間，其相去不數十百年，周之小民皆有好善之心，而秦人獨喜於戰攻，雖其死亡而不肯以自存，此二者臣竊知其故也。夫天下之人，不能盡知禮義之美，而亦不能奮不

周之所以使天下何者蓋便之埶所以奔走天下萬世之所不易

天下遂皆尤秦之不能而不知秦之所以使天下者亦無以異於

刑之所在則皆爭為之而偷安知其他然周以之興而秦以之亡

其役上者優之以爵祿而下者皆得役屬其鄰里天下之人知其

以登於有司而秦之法使其武健壯勇能斬捕甲首者得以自復

蓋周之制使天下之士孝悌忠信聞於鄉黨而達於國人者皆得

以望其久遠而周秦之風俗皆累世而不變此不可不察其術也

然而閭巷之民劫而從之則可以邀之僥倖於一時之功而不可

自顧以陷於死傷之地其所以能至於此者上之人實使之然也

也而特論其所以使之者何如焉耳今者天下之患實在於民昏而不知教然臣以爲其罪不在於民而上之所以使之者或未至也且天子之所求於天下者何也天下之人在家欲得其孝而在國欲得其忠兄弟欲其相與爲愛而朋友欲其相與爲信臨財欲其思廉而患難欲其思義此誠天子之所欲於天下者古之聖人所欲而遂求之求之以勢而使之自至是以天下爭爲其所求以求稱其意今有人使人爲之牧其牛羊將責之以其牛羊之肥則因其肥瘠而制其利害使夫牧者趨其所利而從之則可以不勞而坐得其所欲今求之以牛羊之肥瘠而乃使之盡力於樵蘇之

事以其薪之多少而制其賞罰之輕重則夫牧人將爲牧邪將爲樵邪爲樵則失牛羊之肥而爲牧則無以得賞故其人舉皆爲樵而無事於牧吾之所欲者牧也而反樵之爲得此無足怪也今夫天下之人所以求利於上者果安在哉士大夫爲聲病剽略之文而治苟且記問之學曳裾束帶俯仰周旋而皆有意於天子之爵祿夫天子之所求於天下者豈在是也然天子之所以求之者惟此而人之所由以有得者亦惟此是以若此不可却也嗟夫欲求天下忠信孝悌之人而求之於一日之試天下尚誰知忠信孝悌之可喜而一日之試之可恥而不爲者詩云無言不讎無德不報

臣以爲欲得其所求宜遂以其所欲而求之開之以利而作其怠則天下必有應者今間歲而取天下之才奇人善士固宜有起而入於其中然天下之人不能深明天子之意而以爲所爲求之者止於其目之所見是以盡力於科舉而不知自反於仁義臣欲復古者孝悌之科使州縣得以與今之進士同舉而皆進使天下之人時獲孝悌忠信之利而明知天子之所欲如此則天下宜可漸化以副上之所求然臣非謂孝悌之科必多得天下之賢才而要以使天下知上意之所在而各趨於其利則庶乎不待教而忠信之俗可以漸復此亦周秦之所以使人之術歟

欒城應詔集卷六終

欒城應詔集卷之九

宋眉山蘇轍子由著

明東吳王執禮子敬
顧天叙禮初　仝校

進策

民政上

第三道

臣聞聖人將有以奪之必有以予之將有以正之必有以柔之納之於正而無傷其心去其邪僻而無絶其不忍之意有所矯拂天下大變其俗而天下不知其爲變也釋然而順油然而化無所

齟齬而天下遂至於大正矣蓋天下之民邪淫不法紛亂而至於不可告語者非今世而然也夫古者三代之民耕田而後食其粟蠶繅而後衣其帛欲享其利而勤其力欲獲其報而厚其施欲求其父子之親則盡心於慈孝之道欲求兄弟之和則致力於友悌之節欲求夫婦之相安朋友之相信亦莫不務其所以致之之術故民各治其生無望於僥倖之福而力行於可信之事凡其所以養生求福之道如此其精也至其不幸而死其親戚子弟又為之死喪祭祀歲時伏臘之制所以報其先祖之恩而安恤孝子之意者甚具而有法籩豆簠簋飲食酒醴之薦大者於廟而小者於寢

廳新時祭春秋不闕故民終三年之憂而又有終身不絕之思愛修然若其父祖之居於其前而享其報也至於後世則不然民忌於自修而其所以養生求福之道皆歸於鬼神冥寞之間不知先王喪紀祭祀之禮而其所以追養其先祖之意皆入於佛老虛誕之說是以四夷之教交於中國縱橫放肆其尊貴盛擬於王者而其徒黨遍於天下其宮室棟宇衣服飲食常侈於天下之民而中國之人明哲禮義之士亦未嘗以為怪幸而其間有疑怪不信之心則又安視而不能去此其故何也彼能執天下養生報死之權問吾無以當之宜以若此不可制也蓋天下之君子嘗欲去之

而亦旣去矣去之不久而還復其故其根之入於民者甚深而其入
道之悅於民者甚侫世之君子未有以解其所以入而易其所以
悅是以終不能服天下之意天下之民以爲養生報死皆出於此
吾未有以易之而遂絶其教欲納之於正而傷其心欲去其邪僻
而絶其不忍之意故民之從之也甚難聞之曰川竭而谷虛邱夷
而淵實作乎此者必有以動乎彼也夫天下之民非有所悅乎佛
老之道而悅乎養生報死之術今能使之得其所以悅之實而去
其所悅之名則天下何病而不從蓋先王之教民養生有方而報
死有禮凡國之賞罰黜陟各當其處貧富貴賤皆出於其人之所

當然力田而多收畏法而無罪行立而名聲發德成而爵祿至天下之人皆知其所以獲福之因故無惑於鬼神而其祭祀之禮所以仁其祖宗而慰其子孫之意者非有鹵莽不詳之意也故孝子慈孫有所歸心而無事於佛老臣愚以爲嚴賞罰勑官吏明好惡慎取予不赦有罪使佛老之福不得苟且而惑其生因天下之爵秩建宗廟嚴祭祀立尸祝有以塞人子之意使佛老之報不得乘隙而制其死蓋漢唐之際嘗有行此者矣而佛老之說未去嘗有去者矣而賞罰不詳祭祀不謹是以其道牢固而不可去旣去而復反其舊今者國家幸而欲減損其徒已朘月削將至於亡然臣

愚恐天下尚猶有不忍之心天下有不忍之心則其勢不可以久
去故臣欲奪之而有以予之正之而有以柔之使天下無憾於見
奪而日安其新此聖人所以變天下之術歟

□□□ 民政策上第四道

臣聞管子治齊始變周法使兵民異處制國爲二十一鄉工商之
鄉六而士鄉十五制鄙以爲五屬立五大夫使各治一屬之政國
中之士爲兵鄙野之民爲農農不知戰而士不知稼各治其事而
食其力兵以衛農農以資兵發兵征行暴露戰鬬而農夫不知其
勤深耕疾耨霑體塗足而士卒不知其勞當是之時桓公南征伐

制

楚濟汝踰方城望汶山北伐山戎刜零支斬孤竹西攘白狄逾太行渡辟耳之溪九合諸侯築夷儀城楚丘徇徉四方國無罷弊之民而天下諸侯往來應接之不暇及秦孝公欲并海內商君爲之唱謀使秦人莫不執兵以事戰伐而不得反顧而爲農以誘六國之民使專力以耕關中之田而無戰攻守禦之役二者更相爲用而天下卒以不抗何者我能累累出兵不息而彼不能應我能外戰而內不乏食而彼必不戰而後食可足此二者管仲商鞅之深謀也自管仲死其遺謀舊策後世無復能用而獨其分兵與民之法遂至於今不廢何者其事誠有以便天下也今夫使農夫竭力

以闢天下之地釀其所得以衣食天下之武士而免其死亡戰鬬
之患此人之情誰不可者然當今天下之事與管仲商鞅之時則
已大異矣古者霸王在上倉廩豐實百姓富足地利已盡而民未
乏困當此之時謂之人有餘今天下之田疾耕不能徧而蓬蒿藜
莠實盡其利人不得以爲食禽獸之所蕃息當此之時謂之地有
餘古之聖人人有餘則務在於使人是以天下之人雖其甚蕃而
舉無廢功地有餘則務在於闢地是以天下之地雖其甚寬而舉
無遺力今也海內之田病於有餘而上之人務在於使人不已過
哉臣觀京師之兵不下數十百萬沿邊大郡不下數萬人天下郡

縣千人爲羣而江淮漕運之卒不可勝計此亦已侈於使人矣且夫人不足而使人之制不爲少減是謂遂天而違人昔齊桓之世人力可謂有餘矣而十五鄉之士不過三萬車不過八百乘何者懼不能久也方今天下之地所當厚兵之處不過京師與西邊北邊之郡耳昔　太祖　太宗旣平天下四方遠國或數千里以爲遠人險詐未可以盡知其情也故使關中之士往而屯焉以鎮服其亂心及天下旣安四海一家而因循久遠遂莫之變夫天下之兵莫如各居其鄉安其水土而習其險易而特病其不知戰故今世之患在不敎鄉兵而專任屯戍之士爲賊之備且天下治平非緣

邊之郡則山林匹夫之盜及其未集而誅之可以無事於大兵苟其有大盜則其爲變故亦非戍兵數百千人之所能制若其要塞之地不可無備之處乃當厚其土兵以代之耳聞之古者良將之用兵不求其多而求其樂戰今之爲兵之人夫豈皆樂乎爲兵哉或者饑饉困躓不能以自存而或者年少無賴既入而不能以自脫蓋其間常有思歸者矣故臣欲罷其思歸之士以減屯戍之兵雖使去者太半臣以爲處者猶可以足於事也蓋古者有餘則使之以寬而不足則使之以約苟必待其有餘而後能辨天下之事則無爲貴智矣

民政策上第五道

臣聞近代以來天下之變備矣世之君子隨其破敗而爲之立法補苴缺漏疏剔芟穢其爲法亦已盡矣而後世之弊常不爲之少息其法旣立而旋亡其民暫享其利而不能久因循維持至於今世承百王之弊而獨受其責其病最爲繁多而古人已行之遺策又莫不盡廢而不舉是以爲國百有餘年而不至於治平者由此之故也蓋天下之多虞其始自井田之亡田制一敗而民事大壞紛紛而不可止其始也兼幷之民衆而貧民失職貧者無立錐之地而富者連阡陌以勢相役收太半之稅耕者窮餓而不耕者得

食以爲不便故從而爲之法曰限民名田貴者無過若干而貧者
足以自養此董生之法也天下之人兼并而有餘則思以爲驕奢
驕奢之風行於天下則富者至有敝其資畜而貧者恥於不若以
爭爲盜而不知厭民皆有爲盜之心則爲之上者甚危而難安故
爲之法曰立制而明等使多者不得過而少者無所慕也以平風
俗此賈生之法也民之爲性豐年食之而無餘饑年則轉死溝壑
而莫之救富商大賈乘其不足而貴賣之以重其災因其有餘而
賤取之以待其斃予奪之柄歸於豪民而上不知收粒米狼戾而
不爲斂[illegible]饉不繼而不爲發故爲之法曰賤而官爲糴之以無傷

農貴而官爲發之以無傷末小饑則發小熟之斂中饑則發中熟之斂大饑則發大熟之斂此李悝之法也古者三代之兵出而爲兵入而爲農出兵臨敵則區有資糧之憂而兵罷役休則無復養兵之費及至後世海内多故而征伐不息以爲害農故特爲設兵以辦天下之武事其始若不傷農者而要其終衣食之奉農亦必受其困故爲之法曰不戰則耕以自養而耕之閑暇則習爲擊刺以待寇至此趙充國之法也蓋古之遺制其不可施於今者甚多而臣不敢復以爲說而此四者皆天下之所共知而不行者也夫知之而不行此其故何歟臣聞事固有可以無術而行者有時異

事變無術而不可行者均民以名田齊衆以立制是無術而可以直行者也平糴以救災屯田以寬農是無術而不可行者也古者賢君在上用度足而財不竭捐其有餘以備民之所不足而不害於歲計今者歲入不足以爲出國之經費猶有所不給而何暇及於未然之備古者將嚴而兵易使其兵安於劬勞故雖使爲農而不敢辭今者天下之兵使之執勞者皆不知戰而可與戰者皆驕而不可使衣食豐溢而筋力罷憊且其平居自處甚倨而安肯爲農夫之事故屯田平糴之利舉世以爲不可復者由此之故也昔亦思其術矣臣嘗聞之賈人之治產也將欲有爲而無以爲資者

不以其所以謀朝夕之利者爲之也蓋取諸其不急之處而蓄之徐徐而爲之故其業不傷而事成夫天子之道食租衣稅其餘之取於民者亦非其正矣茶鹽酒鐵之類此近世之所設耳夫古之時未嘗有此四物者之用也而其爲國亦無所乏絶臣愚以爲可於其中擇取一焉而置之用度之外歲以爲平糴之資且其旣已置之用度之餘則不復有所顧惜而發之也輕發之也輕而後民獲其利其與今之所謂常平者亦已大異矣抑嘗聞之者之牧馬者不可使之畜豚彘馬彘之相去未能幾也而猶且不可使令世之兵以兵募之而欲強之以爲農此其不從固無足怪者今欲以

兵屯田。蓋亦告之以將屯田而募焉。人固有無田以爲農而願耕者。從其願而使之。則雖勞而無怨。苟屯田之兵。旣多而可用。則夫不耕而食者。可因其死亡而勿復補。以待其自衰矣。嗟夫古之人其制天下之以下原本脫簡患其亦已略盡矣而其守法者常至於怠惰而不舉是以世之若起於今者而不求古之遺法之以爲治可不大悲矣哉

蘇文定公應詔集卷第九

蘇文定公應詔集卷第十

進策

民政五道下

缺兩葉半 補完

民政策下第一道

□□□臣聞

三代之時無兵役之憂降及近世有養兵之困而無興役之患至於今而養兵興役之事皆不得其當而可爲之深憂蓋古者兵出於農而役出於民有農則不憂無兵而有民則不憂無役五口之家常有一人之兵而二十歲之男子歲有三日之役故其兵强而費不增役起而人素其雖有大兵大役而不憂事之不集至於兵罷役休而無日夜不息之費其後周衰井田破壞陵夷至於末世天下無復天子之田皆民之所自有天下之民不食天子之田是故獨責其稅而不任之以死傷戰鬭之患天子有養兵之憂而天

下無攻守劬勞之民以爲大優故調其財以爲養兵之用而天下之役凡其所以轉輸漕運營建興築之事又皆出於民當此之時民之所以供上之令者三曰租曰調曰庸租者地之所當出調者兵之所當費庸者歲之所當役也故使之納粟於官以爲田之租入入布帛以爲兵之調歲役其力不役則出其力之所直以爲役之庸此三者農夫皆兼爲之而游惰末作之民亦不免於庸調運重漕遠天子不知其費而一出於民民歲役二旬而不役者當帛六十尺民亦不至於太苦故隋唐之間有養兵之困而無興役之患此其爲法雖不若三代之兵不待天子之養然天下之役猶有

可賴者皆民爲之也及其後世又不能守乃始變法而爲兩稅以至於今天下非有田者不可得而使而有田者之役亦不過奔走之用而不與天子之大事天下有大興築有大漕運則常患無以爲使故廣募冗兵以供力役之急不知擊刺戰陳之法而坐食天子之俸由是國有武備之兵而又有力役之兵此二者其所以奉養之具皆出於農也而四海之游民無尺寸之庸調爲農者常使陰出古者游民之所入而天子亦常兼任養兵與役之大患故夫兵役之弊當今之世可謂極矣臣愚以爲天子平日無事而養兵不息此其事出於不得已惟其干戈旗鼓之攻而後可使任其責

至其力役之際挽車船築宮室造城郭此非有死亡陷敗之危天下之民誠所當任而不辭不至以累兵革之人以重費天子之廪食然當今之所謂可役者不過曰農也而農已甚困蓋常使盡出天下之費矣而工商技巧之民與夫游閑無職之徒常徧天下優游終日而無所役屬蓋周官之法民之無職事者出夫家之征今可使盡爲近世之法皆出庸調之賦庸以養力役之兵而調以助農夫養武備之士而力役之兵可因其老疾死亡遂勿復補而使游民之丁代任其役如期而止以除其庸之所當入而其不役者則亦收其庸不使一日而闕蓋聖人之於天下不惟重乎苟廉而

無所求惟其能綏天下之所不給而節其太幸則雖有取而不害於為義今者雖能使游民無勞苦嗟嘆之聲而常使農夫獨任其困天下之人皆知為農之不便則相率而事於末末衆而農衰則天子之所獨任者愈少而不足於用故臣欲收游民之庸調使天下無僥倖苟免之人而且以紓農夫之困苟天下之游民自知不免於庸調之勞其勢不耕則無以供億其上此又可驅而歸之於南畝要之十歲之後必將使農夫衆多而工商之類漸以衰息如此而後使天下舉皆從租庸調之制而去夫所謂兩稅者而兵役之憂可以稍緩矣

繡球應聲卷九 終

欒城應詔集卷之十

宋眉山蘇轍子由著

明東吳顧天敘禮初、王執禮子敬仝校

進策

民政下

第二道

臣聞古者天下皆天子之人，田畝之利、衣食之用，凡所以養生之具，皆賴於天子。權出於一，而利不分於強族，民有奉上之憂，而無役屬附麗之困。是以民德其上，而樂天下皆可使奉天子之役使至於末世天子之地轉而歸於豪民而天下之遊民饑寒朝夕之柄天子不卹而以遺天下之富賈夫天子者豈與小民爭此尺寸之利也哉而其勢則有所不可何者民之有田者非皆躬耕之也而無田者爲之耕無田者非有以屬於天子也而有田者拘之天子無田以予之而欲役其力也實難而有用者授之以田視之以奴僕而可使無憾故夫今之農者舉非天子之農而富人之農也至於天下之遊民販夫販婦工商技巧之族此雖無事乎田然日食其力而無以爲朝夕之用則此亦將待人而生者也而天子不卹其闕乃使富民持其贏餘貸其所急以爲之父母故雖遊民天

子亦不可得而使而富者獨擅其利日役其力而不償其力之所
直由是觀之則夫天下之民舉皆非天子之人而天子徒以位使
之非皆得其歡心也夫天下之人獨其有田者乃使有以附屬於
天子此其爲衆豈足以當其下之仰給之民哉此亦足以見天子
之所屬者已甚寡矣臣愚以爲當今之勢宜收天下之田而歸之
於上以業無田之農夫鄙小民之所急而奪豪民假貸之利以收
遊手之用故因其所便而爲之計以爲莫如收公田而貸民急夫
陳蔡荆楚之地地廣而人少土皆公田而患無以耕之而吳越巴
蜀之間拳肩側足以爭尋常尺寸之地安土重遷戀戀而不能去

此非官爲之畫策因其凶荒饑饉之歲乘其有願徙之心而遂徙之於不耕之公田則終不能以自去今欲待其已去而收其田畝藉其室廬田爲公田室爲公室以授無田之民使天下雖富庶之邦亦常有天子之田而又因其籍沒積而勿復鬻募天下之丁男使分耕其中而無使富民端坐而欲收公田之遺利使天下之農夫稍可以免僕隸之辱而得上麗於天子而其新徙之民耕牛室屋飲食器皿之類有所不備又皆得以貸於國可以無失其所夫所謂貸者雖其爲名近於商賈市井之事然其爲意不可以不察也天下之民無田以爲農而又無財以爲工商禁而勿貸則其勢

不免轉死於溝壑而使富民爲貸則有相君臣之心用不仁之法而收太半之息其不然者亦不免於脫衣避屋以爲質民受其困而上不享其利徒使富民執予奪之權以豪役鄉里故其勢莫如官貸以賙民之急周官之法使民之貸者與其有司辨其貴賤而以國服爲息今可使郡縣盡貸而任之以其土著之民以防其逋逃竄伏之姦而一夫之貸無過若干春貸以斂繒帛夏貸以收秋實薄取其息而優之使之償之無難而又時免其息之所當入以收其心使民得脫於奴隸之中而獲自屬於天子如此則天下之遊民可得而使富民之貸可以不禁而自息然臣以爲收公田者

其利遠非可以歲月之間而待其成也要之數十百年則天下之農夫可使太半皆天子之農若夫所謂貸民急者則可以朝行而夕獲其利此最當今之所急務也

民政策下第三道

臣聞古者建都立邑相其丘陵原隰而利其水泉之道通其所無而導其所有使民日取而不盡安居於中而無慕於外利各安其土樂其業無來去遷徙之心膏腴之鄉民不加多而貧瘠之處民不加少天下之戶平均若一皆足以供其郡國之役使而無所乏困蓋今天下所謂通都大邑十里之城萬戶之郭其陰陽向背與

其山林原隰之勢陂池泉水之利皆秦漢以來所爲創置摩畫使足以衣食其民而無乏絶者也臣嘗讀周詩公劉之一篇其言自戎遷豳之際登高望遠以求其可居之地與其可用之物莫不詳悉而曲盡其詩曰篤公劉逝彼百泉瞻彼溥原乃陟南岡乃覯于京篤公劉既溥既長既景乃岡相其陰陽觀其流泉篤公劉于豳斯館涉渭爲亂取厲取鍛夫古之君子居於其邦其欲知民之所利與器用之所出蓋如此其詳也及觀史記貨殖列傳郡國之所有東方之桑麻魚鹽南方之竹木魚稻與西方之五穀畜牧北方之棗栗裘馬則凡一方之所有皆可以備養生送死之具導之有

宋本脫一葉

方而取之有法則其民豐樂饒足老死而無憾及行天下覽其山林藪澤之所生與其民之所有往往與古不類夫自大江以北瀆水之側三代之時列國數十楚人都於荊州其在戰國最爲强大外抗蠻夷內禦秦晉常以其兵橫於天下計其所都安肯用磽鹵墝埆之地而當今自楚之北至於唐鄧汝潁陳蔡許洛之間平田萬里農夫逃散不生五穀荊棘布野而地至肥壤泉源陂澤之迹迤邐猶在其民不知水耕之利而長吏又不以爲意一遇水旱民乏菜茹往者因其死喪流亡廢縣罷鎮者葢往往是矣臣聞善爲政者不用甲兵不斥疆界興利除害教民稼穡收斂倍稱而獲兼

地之禍今者舉千里之地廢之爲場以養禽獸而不甚顧惜此與私割地以與人何異嘗聞之於野人自五代以來天下喪亂驅民爲兵而唐鄧蔡汝之間故陂舊堤遂以堙廢而不治至今百有餘年其間猶未甚遠也蓋修敗補缺亦旬月之故耳而獨患爲吏者莫以爲事若夫許州非有洪河大江之衝而每歲盛夏衆水決溢無以救禦是以民常苦饑而不樂其俗夫許諸侯之故邦魏武之所都而唐節度之所治使歲輙被水而五穀不熟則其當時軍旅之費宗廟朝廷之用將何以供此豈非近世之弊因循不治以至此哉然此乃特臣之所見而天下之廣又安能備知嘗以爲方今

刑

之患生於太怯而成於牽俗太怯則見利而不敢爲牽俗則自顧而愛其身夫是以天下之事舉皆不成而何獨在此臣欲破其牽俗之風壯其太怯之氣意凡天下貧窶破散之郡縣使皆擇善事能幹之人而往爲之長因其去也而天子親諭以此使得稍久於其任而察其人民多田野闢者書以爲課何者此非難辨之事是以不待非常之才而後能濟唯其弛放怠惰是以至此今誠少嚴其事使爲吏者知上之屬意於此十歲之後臣以爲此必爲富壤之區而方今天下重征之處亦爲漸減而取諸此矣

民政策下第四道

臣聞天下有二病好戰則才竭而民貧貴戰則多辱而無威欲民之無貧則無疾夫無威欲君之無辱則無望乎財之不竭此二患者天下未嘗兼有也古之人君多從其所安而處其偏是以不獲全享其利而亦未嘗有兼受其病者昔者匈奴之於漢可以見矣文景之世天下治安民至老死不知征役之勞府庫盈溢其賦於民者三十而取一可謂盛矣然而匈奴傲慢侵侮至甚不遜輸金繒納錦鑄天子之至辱也而文景不以爲意以求全其民至於武帝不忍數世之忿盡天下之銳而役之闕地千里斬馘百萬匈奴之民死者大半洗除先帝之宿恥而夸大中國之氣得志滿意無

以加矣而內自疲弊中民之家大抵皆破無復十金之戶此二者皆有所就其成功是以有所忍而不顧而智者之論已謂非中國之長筭矣今者中國之弊在於畏戰畏戰固多辱矣而民又不免於貧無所就其利而偏被其害重賦厚斂以爲二邊之賂國辱而民困益今世之病病已極矣賢人君子竭其智慮以求安其民而民常爲夷狄之所擾天子欲使其澤下布而海內常爲夷狄之所困此其弊蓋有原矣二邊之賂不絕是以天下之賦斂雖知其甚重而不可輕天下之賦斂甚重而不可輕是以天下之民雖知其甚困而不可得而安也故臣於民政之終而特備論其要云蓋方

今天下之議莫不以爲二邊之賂決不可去也獨其勇者則曰寧
戰而無賂戰不必敗而賂必至於乏困臣竊以爲此古之漢武帝
唐太宗堅忍而不顧者足以行之然亦有所犯天下之至危何者
吾民之不戰久矣用不戰之民而待必戰之敵竊恐世俗之難之
也夫古者霸王之臣因敗而成功轉禍而爲福若反覆手之間耳
桓公見脅於曹沫欲背其盟管仲因而信之以自結於諸侯桓公
襲蔡本以誅少姬之罪管仲因而伐楚責苞茅之不入而諸侯大
服臣竊睫之方今二虜之賂雖有所不得已而然者然其勢偶有
似夫戰國之際以謀相傾而陰相潰者是故臣欲因而成之以潛

破二虜之國古語有之曰將欲取之必固予之昔者晉之取虞越之取吳冒頓之取東胡石勒之取王浚此四者皆其予之之力也夫隣國之患惟其相忌而相伺以不敢相易是以其慮詳密而難圖今夫中國之不競亦已久矣彼其相視以爲無能爲者非一日也然猶未肯釋然而無疑夫惟釋然而無疑而後其國可取今吾猶有所齟齬於其間彼以吾爲猶有不服之心是以君臣相親而未敢僻蓋古之英雄能忍一朝之耻而全百世之利臣以爲當今之計禮之當加恭待之當加厚使者之往無求以言勝之而其使之來者亦無求以言犯之凡皆務以無逆其心而陰墮其志使之

深樂於吾之賄賂而意不在我而吾亦自治於內蒐士揀馬擇其精銳而損其數以外見至弱之形而內收至強之實作內政以寓軍令凡皆務以自損吾強大之勢而見吾衰弱之狀使之安然無所顧忌而益以急傲不過數年彼日以無備而吾日以充實彼猶將以吾爲不足與也而有無厭之求彼怠而吾奮彼驕而吾怒及此而與之戰此所謂敗中之勝而弱中之強者也嗟夫方今之事其勢亦有二而已矣能奮一朝之勞而盡力以攻之則其後可以大安而其始也不免有歲月之勤能忍一朝之辱而自損以驕之則其後可以驟勝而其始也不免有歲月之恥此二策者皆足以

謀人之國敗人之兵而有勝矣而臣竊謂今世之所安者必其予之而驕之者也嗟夫智能攻之以洗天下之大憝不能攻之則驕之而圖其後未有不能攻之又不能驕之拱手以望其成功者方今每歲委百萬之資以予人而不能使人無疑其有不服之心罄竭四海而其終不能以成事特幸其一時之安而欲得其間隙之際以治天下天下可得而治哉

口口口　民政策（下第五道）

臣聞御戎有二道屯兵以待其來出兵以乘其虛方今二邊固常已屯重兵矣而天下之議以爲中國之兵無由而出而臣以爲不

然何者斂天下之財以奉夷狄彼求之無厭則吾之應之將有所不稱其意大抵不過數十年之間用兵之釁不發於彼之不悅則發於吾之不忍此亦其勢之不可逃者也方其無事之時中國既不得不畜兵於邊而及其有閒又必將出兵而乘其弊此二者不可不素爲之所也今每歲發郡縣之兵以戍邊此其未戰之謀也而臣未知其所以爲戰之術臣聞古者三代之制未有戍邊之役六國之際燕趙最被邊患而當其時西備秦東備齊南備楚內備韓魏千里之國而其四境莫不皆有所備則其所以備胡者安得戍卒而用之計亦不過沿邊之民自爲卒伍以制其侵畧而已戍

邊之謀始於秦漢內無敵國之虞而郡縣之兵材官蹶張皆出於民之爲役其法月爲更卒已復爲正一歲屯戍一歲以次相承而迭相更代邊鄙之民不可使常爲兵是以不得不驅中原之民而納之塞下以捍寇虜故其邊戍之兵歲初而來終歲而去寒暑不相安險易不相習勇怯不相程志氣不相合上無顧於墳墓而下無愛於妻子平居忧愁無聊無樂土之心而緩急苟免無死戰之意不可求得其用古之謀臣晁錯陸贄之徒蓋常以爲言矣今世之兵皆天子之所廩食以終其身在秦則廩於秦在趙則廩於趙不可一日而闕非如漢之戍卒有休罷更代之期也然猶守此區

區既往之陳迹豈不惑哉且舉中原之士而屯之於邊雖無死傷戰鬬之患而其心常自以爲出征行役苦寒冒露爲國勞苦凡國家之所以美衣豐食以養我者止爲此等事也故士卒百萬端坐而食實不知行陣之勞不見鋒刃之危而皆已自負以爲有勞於國其勢不可有所復使此其弊在於使之不得其道耳今夫陰伺二虜之怠而出兵以逐利於塞外此誠今世之至計也而臣竊恐緩急之際士卒皆已自負而不可用且夫人之情嘗已用其力則其心自滿而不復求報其上士無求報之心則不可以與之犯大難而涉大勞惟其飽食而無所試優遊無爲以觀夫人之成功而

不得自効者則其氣剛銳而其心不倦古之善用兵者惟能及其心之未倦而用其銳氣是以其兵無敵於天下臣愚以爲方今之計內郡之兵當常在內而不以戍邊戍邊之兵當常戍邊而不待內郡之戍卒募內郡之兵其樂徙邊者而稍厚之不足則募民之樂爲邊兵者以足之使二邊有一定不遷之兵而頗損內郡之衆計其內外之數相通如舊而止平居無事以此備邊而一旦欲有所攻奪掩襲則獨發內郡之卒使二者各思致其勇力以報其上銳而用之墮而置之屯兵歷年而士無所怨其勞出兵千里而士無所憾其遠兵入則出者得以休息而無乘塞之苦兵出則守者

閑暇而無行役之困交相爲用如循環之無端而不可竭此其與
今世之法竭天下以養兵守亦使此戰亦使此未戰而士卒皆怠
者其亦少異矣

蘇文定公應詔集卷第十

欒城應詔集卷之十　終

蘇文定公應詔集卷第十一
秘閣試論六首
王者不治夷狄論
劉愷丁鴻孰賢論
禮義信足以成德論
形勢不如德論
禮以養人爲本論
既醉備五福論
秋試論一首
史官助賞罰論
省試論一首
刑賞忠厚之至論

欒城應詔集卷之十一

宋眉山蘇轍子由著

明東吳王執禮子敬
　　顧天敘禮初仝校

秘閣試論六首

王者不治夷狄論

儒者必慎其所習。習之不正，終身病之。公羊之書好爲異說，而無統，多作新意以變惑天下之耳目。是以漢之諸儒治公羊者，比於他經最爲迂闊，至於何休而其用意又甚於公羊，蓋其勢然也。經書公及戎盟於潛，公羊猶未有說也，而休以爲王者不治夷狄，錄我求者不拒去者不追也夫公之及戎盟於潛也時有是事也時有是事而孔子不書可乎故春秋之書其體有一有書以見褒貶者有書以記當時之事備史記之體而其中非必有所褒貶予奪者公之及戎盟於潛是無褒貶予奪者也而休欲必爲之說是以且說不得不妄也且王者豈有不治夷狄者乎王者不治夷狄是欲苟安於無事者之說也古之所以治夷狄之道世之君子嘗論之矣有用武而征伐之者高宗文王之事是也有修文而和親之者漢之文景之事是也有閉拒而不納之者光武之謝西域絕匈奴之事是也此三者皆所以與夷狄爲治之大要也今日來者必

不可拒則是光武之謝西域以息中國之民者非乎去者必不可追則是高宗文王凡所以征其不服而討其不庭者皆非也凡休之說施之於中國強盛夷狄暴橫之時則將養寇以遺子孫之憂施之於中國新定休息自養之際則爲夷狄之所役使以自勞弊而不得止凡此二者休之說無施而可也蓋愚聞之聖人之於戎狄也吾欲來之則來之雖有欲去者不可得而去也吾欲去之則去之雖有欲來者亦不得而來也要以使吾中國而不失於便而置夷狄於不便之地故其屈伸進退莫不在我而休欲其自來而自去也耶此其尤不可者也治休之學者曰春秋託始以治天下

當隱桓之際未暇遠略故先書晉滅夏陽不書楚滅穀鄧夫穀鄧之不書是楚之未通而不告也如使聖人未欲與夷狄交通則雖有欲至尚可得而至哉愚故曰春秋之書公及戎盟於潛是記事之體而無休之說也

劉愷丁鴻孰賢論

天下之讓三有不若之讓有相援之讓有無故之讓讓者天下之大功大善也然而至於無故之讓則聖人深疾而排之以爲此姦人之所以盜名於暗世者也昔者公族穆子之讓韓起范宣子之讓知伯宣子穆子中心誠有以愧於彼二人也是不若之讓也舜

之命禹也讓於皐陶其命益也讓於朱虎熊羆夫皐陶之不能當禹之任朱虎熊羆之不能辦益之事亦已明矣然猶讓焉者此所謂相援之讓也夫使天下之人皆能讓其所不及則賢材在位而賢不肖不爭皆能讓以相援則君子以類升而小人不能間此三者天下之大美也然而至於無故之讓則天下之大不善也東漢之衰丁鴻鄧彪劉愷此三人者皆當襲父爵而以讓其弟非是先君之命非有嫡庶之別而徒讓焉以自高於世俗世之君子從而譏之然此三人者之中猶有優劣焉劉鄧讓而不反以遂其非丁鴻讓而不終聽其友人鮑駿之言而卒就國此鴻之所以優於劉

鄧也且夫聞天下之有讓而欲竊取其名以自高其身以邀望天下之大利者劉愷之心也聞天下之讓而竊慕之而不知其不同以陷於不義者丁鴻之心也推其心而定其罪則愷在可戮而鴻爲可恕此眞僞之辨也賢愚可以見矣故范曄曰太伯伯夷未始有其讓也故太伯稱至德伯夷稱賢人末世徇其名而昧其致則詭激之行興矣若夫鄧彪劉愷讓其弟以取義使弟受非服而已受其名不已過乎夫君子之立言非以苟顯其理將以啓天下之方悟者立行非以苟顯其身將以教天下之方動者言行之所開塞可無愼乎丁鴻之心主乎忠愛何其終悟而從義也異乎數子

之徇名者也嗟夫世之邪僻之人盜天下之大利自以爲人莫吾察而不知君子之論有以見之故爲國者不可以不貴君子之論也

禮義信足以成德論

周衰凡所以教民之具既廢而戰攻侵伐之役交横於天下民去其本而爭事於末當時之君子思救其弊而求之太迫導之無術故樊遲請學爲稼又欲爲圃而孔子從而譏之曰小人哉樊須也上好禮則民莫敢不肅上好義則民莫敢不服上好信則民莫敢不用情夫如是四方之民襁負其子而至矣焉用稼釋之曰禮義

與信足以成德又安用稼哉嗟夫仁人之言其始常若迂濶而不可行然要其終其取利多而卒以無獘者終莫能易其說蓋孔子之於衛常欲正名而子路笑之矣冉子之於魯常欲徹而魯君非之矣何則衛之亂若非正名之所能安而魯之饑若非徹之所能救然而欲天下無饑與亂則非此二者莫之能濟故夫欲取其利而取之於遠則取利多而民不知欲圖其事而圖之於深則事有漸而後無獘今夫樊遲欲爲農圃以富民而孔子荅之以禮義信也天下疑之而愚以爲不然若覩於孟子而求其所以辨許行之說則夫農圃之事乃有可以禮義致而可以信取之道何者許子

欲使君臣竝耕饔飧而治此豈非樊子所願學者哉而孟子答之以堯舜無所用心於耕稼堯以不得舜爲憂舜以不得禹爲憂堯得舜舜得禹而禮義流行忠信洋溢則天下之民將不勸之耕而自爲耕不督之圃而自爲圃而何致於身服農圃之勞而憂農圃之憂哉且夫欲勸天下之農而至於親爲之者亦足以見其無術矣古之聖人其御天下也禮行而民恭則役使如意義行而民服則勞苦而不怨信行而民用情則上下相知而教化易行三德既成則民可使蹈白刃而無怨而況農圃之功哉故夫欲致其功而形之於遠則功可成欲力其事而爲之於近則百弊起今欲君子

小人而皆從事於農則夫天下之民尚誰使治之哉

□□□ 形勢不如德論

三代之時法令寬簡所以隄防禁固其民而尊嚴其君者舉皆無有而其所都之地又非有深山大河之固然而歷歲數百長久而安存者何耶秦之法令可謂峻矣而其所都又關中天府之固古之所謂百二者也然而二世而亡者何耶太史公曰權勢法制所以爲治也地形險阻所以爲固也然而二者猶未足恃也故曰形勢雖强猶不如德也天下之形勢愚嘗論之矣讀易至於坎喟然而嘆曰嗟夫聖人之所以教人者盡詳矣夫坎之爲言猶曰險也

天之所以爲險者以其不可升而地之所以爲險者以其有山川丘陵天地之險愚聞之矣而人之險愚未之聞也或曰王公設險以守其國此人之險而高城深池之謂也曰非也高城深池此無以異於地之險而人之險法制之謂也天下之人其初蓋均是人也而君至於爲君之尊而民至於爲民之卑君上日享其樂而臣下日安其勞而不敢怨者是法制之力也然猶未也可以禦小害而未可以禦大害也大盜起則城池險阻不可以固而留衆叛親離則法制不可以執而守是必有非形之形非勢之勢而後可也故至坎之六四而曰樽酒簋貳用缶納約自牖終無咎夫六四處

剛柔相接之時而乃用一樽二簋土盎瓦缶相與拳曲俯仰於戶

牖之下而終獲无咎此豈非聖人知天下之不可以强服而爲是

優柔從容之德以和其剛强難屈之心而作其愧恥不忍之意故

耶嗟夫秦人自負其强欲以斬刖齊天下之民而以山河爲社稷

之保障不知英雄之士開而闗之刑罰不能繩險阻不能拒故聖

人必有以深結天下之心使英雄之士有所不可解者則坎之六

四是也

禮以養人爲本論

君子之爲政權其輕重而審其小大不以輕害重不以小妨大爲

天下之大善而小有不合焉者君子不顧也立天下之大善而以
小有不合而止則是天下無聖人大善終不可得而建也自周之
亡其父子君臣冠昏喪祭之禮皆以偏廢至於漢興賢君名臣
比而出皆知禮之足以爲治也然皆拱手相視而莫敢措非以禮
爲不善也以爲不可復也是亦自輕而已故元成之間劉向上書
以爲禮以養人爲本如有過差是過而養人也刑罰之過或至於
死傷然有司請定法令筆削則創是敢於殺人而不敢於養
人也然而爲是者則亦有故律令起於後世而禮出於聖人敢變
後世之刑而不敢變先王之禮是亦畏聖人太過之弊也記曰禮

之所生生於義也故禮雖先王未之有可以義起也故因人之情而爲之節文則亦何至於憚之而不敢邪今夫冠禮所以養人之始而歸之正也昏禮所以養人之親而尊其祖也喪禮所以養人之孝而爲之節也祭禮所以養人之終而接之於無窮也賓客之禮所以養人之交而慎其瀆也鄉禮所以養人之本而教之以孝悌也凡此數者皆待禮而後可以生今皆廢而不立是以天下之人皇皇然無所折衷求其所從而不得則不能不出其私意以自斷其禮私意既行故天下之弊起奢者極其奢以傷其生儉者極其儉以不得其所欲財用匱而饑寒作饑寒作而盜賊起盜賊起而

民之所恃以爲養者皆失而不可得雖日開倉廩發府庫以贍百姓民猶未可得而養也故古之聖人不用財不施惠立禮於天下而匹夫匹婦莫不自得於閭閻之中而無所匱乏此所謂知本者也

既醉備五福論

善夫詩人之爲詩也成王之時天下已平其君子優柔和易而無所怨怒天下之民各樂其所年穀時熟父子兄弟相愛而無暴戾不和之節莫不相與作爲酒醴剥亨牛羊以享以祀以相與宴樂而不厭詩人欲歌其事而以爲未足以見其盛也故又推而上之至於朝廷之間見其君臣相安而親戚相愛至於祭祀宗廟既事

而又與其諸父昆弟皆宴於寢旅酬下至於無筭爵君臣釋然而皆醉故爲作既醉之詩以歌之而後之傳詩者又深思而極觀之以爲一篇之中而五福備焉然愚觀於詩書至抑與酒誥之篇觀其所以悲傷前世之失及其所以深懲切戒於後者莫不以飲酒無度沈湎荒亂號呶倨肆以敗亂其德爲首故曰百禍之所由生百福之所由消耗而不享者莫急於酒周公之戒康叔曰酒之失婦人是用二者合并故五福不降而六極盡至愚請以小民之家而明之今夫養生之人深自覆護擁閉無戰鬭危亡之患然而常至於不壽者何耶是酒奪之也力田之人倉廩富矣俄而至於饑

寒者何耶是酒困之也服食之人乳藥餌石無風雨暴露之苦而
常至於不寧者何耶是酒病之也修身之人帶鈎蹈矩不敢妄行
而常至於失德者何耶是酒亂之也四者旣備則雖欲考終天命
而其道無由也然而曰五福備於旣醉者何也愚固言之矣百姓
相與歡樂於下而後君臣乃相與偕醉於上醉而愈恭和而有禮
心和氣平無悖逆暴戾之氣干於其間而壽不可勝計也用財有
節御已有度而富不可勝用也壽命長永而又加之以富則非安
寧而何旣壽而富且身安矣而無所用其心則非好德而何富壽
而安且有德以不朽於後也則非考終命而何故世之君子苟能

觀既醉之詩以和平其心而又觀夫抑與酒誥之篇以自戒也則五福可以坐致而六極可以遠却而孔氏之說所以分而別之者又何足爲君子陳於前哉

秋試論一首

史官助賞罰論

域中有三權曰天曰君曰史官聖人以此三權者制天下之是非而使之更相助夫惟天之權而後能壽夭禍福天下之人而使賢者無夭橫窮困之災不賢者無以享其富貴壽考之福然而季次原憲古所謂賢人者也伏於窮閭之下布衣饘粥之不給盜跖莊

蹻橫行於天下食人之肝以爲糧而老死於牖下不見兵革之禍如此則是天之權有時而有所不及也故君人用其賞罰之權於天道所不及之間以助天爲治然而賞罰者又豈能盡天下之是非而賞罰之於一時猶懼其不能明著暴見於萬世之下故君舉而屬之於其臣而名之曰史官盖史官之權與天與君之權均大抵三者更相助以無遺天下之是非故荀悅曰舜於歲盡舉之尚書以助賞罰夫史官之興其來尚矣其最著者在周曰佚在魯曰克在齊曰南氏在晉曰董狐在楚曰倚相觀其爲人以度其當時之所書必有以助賞罰者然而不獲見其筆墨之所存以不能盡

其助治之意獨仲尼因魯之史官左丘明而得其載籍以作爲春秋是非二百四十二年雖其名爲經而其實史之尤大章明者也故齊桓晉文有功於王室王賞之以矦伯之爵征伐四國之權而春秋又從而屢進之此所以助乎賞之當於其功也吳楚徐越之僭皆得罪於其君者也而春秋又從而加之以斥絶擯棄不齒之辭此所以助乎罰之當於其罪也若夫當時賞罰之所不能及則又爲之明言其狀而使後世嗟嘆痛惜之不已嗚呼賢人君子之功烈與夫亂臣賊子罪惡之狀於此皆可以無憂其無聞焉是故古者聖人重史官當漢之時號曰太史令而其權在丞相之上郡

國計吏上計於太史而後以其副上于丞相御史夫惟知其權之可以助賞罰也故從而尊顯之然則後之史官其可以忽哉

省試論一首

刑賞忠厚之至論

古之君子立于天下非有求勝於斯民也為刑以待天下之罪戾而唯恐民之入於其中以不能自出也為賞以待天下之賢才而唯恐天下之無賢而其賞之無以加之也葢以君子先天下而後有不得已焉夫不得已者非吾君子之所志也民自為而召之也故罪疑者從輕功疑者從重皆順天下之所欲從且夫以君臨民

其強弱之勢上下之分非待夫與之爭尋常之是非而後能勝之
矣故寧委之於利使之取其優而吾無求勝焉夫惟天下之罪惡
暴著而不可掩别白而不可解不得已而用其刑朝廷之無功鄉
黨之無義不得已而愛其賞如此然後知吾之用刑而非吾之好
殺人也知吾之不賞而非吾之不欲富貴人也使夫其罪可以推
而納之於刑其迹可以引而置之於無罪其功與之而至於可賞
排之而至於不可賞若是二者而不以與民則天下將有以議我
矣使天下而皆知其可刑與不可賞也則吾猶可以自解使天下
而知其可以無刑可以有賞之說則將以我爲忍人而愛夫爵祿

也聖人不然以爲天下之人不幸而有罪可以刑可以無刑刑之而傷於仁幸而有功可以賞可以無賞無賞而害於信與其不屈吾法孰若使民全其肌膚保其首領而無憾於其上與其名器之不僭孰若使民樂得爲善之利而無望望不足之意嗚呼知其有可以與之之道而不與是亦志於殘民而已矣且彼君子之與之也豈徒曰與之而已也與之而遂因以勸之焉耳故捨有罪而從無罪者是以恥勸之也去輕賞而就重賞者是以義勸之也蓋欲其思而得之也故夫堯舜三代之盛捨此而忠厚之化亦無以見於民矣

欒城應詔集卷十一　終

蘇文定公應詔集卷第十一

欒城應詔集卷之十二

宋眉山蘇轍子由著　　明東吳王執禮子敬　顧天敍禮初　仝校

蘇文定公應詔集卷第十二

策

御試制策一道問目具東坡集

臣謹對曰臣不佞　陛下過聽策臣於庭使得竭愚衷以奉大對臣性狂愚不識忌諱伏讀　陛下制策凡所以問臣之事數十條者臣已詳聞之矣然臣內省愚誠欲先以聞而後答　陛下以所問伏惟　陛下承　先帝之業卽位以來三十餘年四方乂安

陛下守此太平之成基平日無事端居靜慮亦嘗有憂於此乎無
憂於此乎　陛下策臣曰朕承　祖宗之大統　先帝之休烈深
惟寡昧未燭於理又曰志勤道遠治不加進夙興夜寐于茲三紀
此　陛下憂懼之言也然臣以謂　陛下未有憂懼之誠耳往者
寶元慶歷之間西羌作難　陛下晝不安坐夜不安席當此之時
天下皆謂　陛下憂懼小心如周文王然而自西方解兵　陛下
棄置憂懼之心而不復思者二十年矣古之聖人無事則深憂有
事則不懼夫無事而深憂者所以為有事之不懼也今　陛下無
事則不憂有事則大懼臣以為　陛下失所憂矣故願　陛下雖

天下無事而不忘憂懼之心　陛下誠能用臣此言則凡所以問
臣者臣雖不言可得而舉也苟未能用臣此言則凡所以問臣者
臣雖言之無益也　制策曰德有所未至教有所未孚闕政尚多
和氣或鬱　陛下思慮至此此則聖人之用心也臣請爲　陛下
推其本源而極言其故臣聞之書曰與治同道罔不興與亂同事
罔不亡昔者夏之衰也有太康商之微也有祖甲周之敗也有穆
王漢之卑也有成帝唐之亂也有穆宗恭宗此六帝王者皆以天
下之治安朝夕不戒沈湎于酒荒躭于色晚朝早罷早寢晏起大
臣不得盡言小臣不得極諫左右前後惟婦人是侍法度正直之

言不留于心而惟婦言是聽謁行於內勢橫於外心荒氣亂邪僻
而無所主賞罰失次萬事無紀以至於天下大亂而其心不知也
是以三代之季詩人疾而悲傷之曰匪教匪戒時惟婦寺聽言則
對誦言如醉又曰亂匪降自天生自婦人赫赫宗周褒姒滅之葢
傷其不可告教而至於敗也臣疏賤之臣竊聞之道路　陛下自
近歲以來宮中貴姬至以千數歌舞飲酒歡樂失節坐朝不聞咨
謨便殿無所顧問夫三代之衰漢唐之季其所以召亂之由　陛
下已知之矣久而不止百蠹將由之而出內則將爲蠱惑之所汙
以傷和伐性外則將爲請謁之所亂以敗政害事婦人之情無有

厭足迭相誇尚爭爲後靡賜予不足以自給則不憚於受賂賄賂賄既至則不憚於私謁私謁既行則內外將亂　陛下無謂好色於內而不害外事也且臣聞之欲極必厭樂極必反方其極甚之時一陷於其中而不能以自出然及其覺悟之後未始不以自悔也　陛下何不試於淸閑之時上思　宗廟社稷之可憂內思疾疢病恙之可惡下思庶人百姓之可畏則夫嬪御滿前適足以爲陛下憂而未足以爲　陛下樂也伏惟　聖心未之思焉是以遲遲而不去詩云顚沛之揭枝葉未有害本實先撥方今承　祖宗之基四方無虞法令修明百官繕完而　陛下奈何先自撥其本

哉臣恐如此德教日以陵遲闕政將至於敗戾氣將至於災而不可救也　制策曰田野雖闢民多亡聊邊境雖安兵不可徹利入已浚浮費彌廣臣以爲地有所未闢是以民不得安其生邊境雖安而非誠安是以兵不得徹其備浮費日廣是以利入浚而不能休何者自京以西迫自許鄭而遠至唐鄧凡數千里列郡數十土皆膏腴古之賦輸太半多出於此自兩漢以來名臣賢守所以爲民興利除害溝洫畎澮之迹往往猶在而荆棘成林無尺寸之耕狐狸豺狼之所嗥而逃兵罷士之所竄伏　陛下所使守此地者終無一人爲　陛下深思極慮招來流亡以墾化其地賢才良士

以爲此僻遠之處而不肯往　陛下何不使大臣舉人而守之親召而勉厲其志屬以此事而亦以此爲殿最之課不及十年此將皆爲天下之沃壤臣故曰地有所未闢是以民不得安其生也臣又聞古之制邊備者外有亭障內有屯兵亭障欲繁屯兵欲簡繁則耳目明簡則氣勢合今者邊境之患患在亭障之地而皆屯兵以待寇至屯兵之處兵分力弱而不足以備禦夫屯兵於亭障之地者兵必不能甚多也兵不能甚多則寇至必不能抗而徒棄甲兵於無用此拙守者之計也然今之人又患夫屯之不密而歲益增湯小屯不滿百人大屯不過數百城壘之廣狹弱弓之矢可以

越而過者往往是也然而前守之所戍後守不敢徹非不知徹也恐後之有敗事而以是爲過也兵法曰善攻者敵不知所守善守者敵不知所攻夫敵不知所攻非連臂而守之也雖連臂而守之敵尚可得攻而絶也古之善守者置兵於要害之地則敵人不敢過而爲盜何者畏吾之乘其背也過人之城而又遇城焉則腹背而受敵此用兵之深忌也今國家不料敵之不敢過吾城以深入吾地而懼敵之敢入深也夫敵之過吾城以深入吾地是吾利也而又何患乎臣故欲收諸小屯無益之兵而聚之大屯諸故小屯皆廢以爲亭障斥堠謹烽燧以爲大屯之耳目置大屯於要害

敵

之地以形制戎狄。高城深池精爲守備使可以對敵逾月而不陷制爲諸屯使其相去之遠近可以輕兵十日而相救臣讀古兵書戰國策未嘗見有敵人敢越大城深入而爲寇者臣故曰邊境雖安而非誠安是以兵不得徹其備也臣又聞人君之於天下本非有情愛相屬如父子兄弟之親也上以其勢臨下則下以其勢奉上二者相持而行不相悅則解不相合則叛譬如草木之於地也託之而生判然二物也有根而綢繆之交横相入而至於不可拔及其不相入也木槁於上而根不下屬地確於下而氣不上接一夫之力可拔而取也飄風暴雨可拔而離也是以古之聖人於其無事之時必深結百姓之心使之歡欣交通分義積厚而不忍相棄於緩急之際昔漢之文景優裕天下時使薄斂寬田租宥罪戾當此之時雖天下和平猶未見其利及至末世賊臣竊命國統已絕而天下之心猶依依不忍離漢者徒以文景之所以愛之者深而不可忘也國家自　祖宗以來至於　陛下四世矣　陛下之所以深結於民者何也民之所好者生也所惜者財也　陛下擇吏不精百姓受害於下無所告訴則是　陛下未得以生結民也　陛下賦斂煩重百姓日以貧困衣不蓋體則是　陛下未得以財結民也吏之不仁尚可以爲吏之過賦斂之不仁誰當任其咎且

陛下凡所以用財者果何事乎上有官吏之俸下有士卒之廪外有夷狄之賂此三者 陛下未得省之之術臣亦未敢以爲言也臣獨怪 陛下內有宮中賜予玩好無極之費此何爲者凡今百姓所爲一物已上莫不有稅茶鹽酒鐵關市之征古之所無者莫不並行疲民咨嗟不安其生而宮中無益之用不爲限極所欲則給不問無有司會不敢爭大臣不敢諫執契持敕迅若兵火 陛下外有北狄西戎歲邀金繒而又內自爲一穽以耗其所遺餘臣恐 陛下以此獲謗而民心之不歸也故臣願 陛下日夜自損以礪左右痛爲節儉以寬百姓捐錫繡棄金玉以質素爲貴賦稅

以下缺

之入獨以供不得已之費使天下知戴　陛下之德一旦有緩急
則民尙可以使之無叛臣故曰浮費日廣是以利入沒而不能止
者此之謂也　制策曰軍冗而未練官冗而未澄夫軍冗未練則
爲無兵官冗未澄則爲無吏古者民多則兵衆兵衆則國強今兵
衆而至於以爲冗者則是不耕而食之過也然而屯田之利是嘗
今之至計也然而屯田之不用則亦有說有兵而不可使耕一也
天下須兵之地無官田而閑田之鄕不須兵二也此二患者臣嘗
慮之盡亦以爲無難也有兵而不可使耕臣亦不敢強使也計今
天下之兵一歲死亡幾何而以其數募民爲兵且屯田民自將有

應此選者則今不耕之兵十數歲之後其存者將有幾此非屯田之所當畏者一也天下郡縣未嘗無官田郡縣之無官田者嘗有之而官鬻之也籍沒之田歲歲不絕舉而積之而田皆在官矣閑田之鄉不過京師之西雖差遠於京畿然而車馳卒奔可以不過旬日而至有欲用之可以緩急而召雖禁衛之兵亦可以循漢之故發郡縣之兵克之朞年而一易京師可獨置天子腹心之軍數萬人以制四方之客軍使之獨得不耕而食如周之環人漢之羽林佽飛之類此又非屯田之所當畏者二也如此而兵冗之弊可以去矣臣又聞方今用人之弊有二吏多也吏雜也吏多之弊輕

吏雜之弊重吏多而不雜則賢不肖猶有辨也多而不免於雜既
廢廩祿又不得賢也費廩祿則國貧不得賢則事不舉均之二弊
事不舉者所當先治也如臣之意且可使審官銓曹密院三班分
別天下之官其事之爲天下之要而其地之爲一方之急者別之
以爲一等而使諸道之職司各第其吏之廉明喜事最異者而上
之於審官銓曹密院三班而審官銓曹密院三班即任之以此至
於其餘不急之官則又爲一等使碌碌之吏以今先後之法占之
此法既行要以世之庸吏必將羣議而聚怨然臣以爲聖人之爲
天下不憚人之有怨心而問其怨之當否今世之患上之人畏下

太甚而下之人持上太過上以其法御下而下反以法攻上之失是以在上者不敢有所興利除害而惟法之聽法者上之所當用耳而豈亦使天下之人以繩上哉此太甚也臣讀後魏書觀其始時天下用兵武夫悍卒皆得爲吏而當此之時吏道不雜何者其所用者多賢而不賢者未嘗用也及其後世患夫不用者之多怨也是以崔亮從而更之不問士之賢愚而專以停解日月爲斷沉滯者皆稱其能而魏之失人自是而始故臣欲分而別之以爲賢不肖之辨如此而官冗之弊可除矣 陛下興庠序於久亡悼禮樂之未備思繼可封之俗欲隆皆讓之節而訟未息深求其故歸

咎在位以爲教化不足而法律有餘是以民不知避吏不知懼咨嗟怨讟並興而不止思所以治之不得其道臣聞善治天下者不必有美名而有豐實之實功不善治天下者其名不必不美而其實空虛無益於事　陛下自卽位以來登庸俊良力與美政以教化天下者於今凡幾矣慶曆之中勸農桑興學校當此之時天下以爲三代之風可以漸復然而學校旣興農桑旣勸而天下之風俗卒何以異於慶歷之始今者　陛下又發德音分遣使者巡行天下或以寬恤或以減省或以均稅名號紛紜而出天下又皆翕然知　陛下之欲速於爲治也然臣以爲　陛下惑於虛名而未

知爲政之綱也且　陛下以爲此數事者足以致治耶不足以致治耶　陛下設官置吏其職亦有治此等事者耶其未有耶臣以爲凡　陛下之所以分裂海內以爲郡縣其中上有守令下有丞尉大有會府次有職司者凡所以治此數事耳今　陛下欲寬郵百姓以至於特命使者則是此等常爲暴也　陛下欲減省均稅以至於特命使者則是此等皆不可使也臣觀　陛下之意不過欲使史官書之以邀美名於後世耳故臣以爲此　陛下惑於虛名也今夫諸道之職司是天下之綱維然尙非　陛下之所當擇

陛下當擇宰相而宰相當擇職司耳天下諸道凡十有七一道

之職司少者三人而多者不過四人均之十七道者其替換迭代不過四五十八也以士大夫之多擇四五十八而用之宜其甚足今乃不擇賢否而任之至於有事則更命使者故臣以爲　陛下未知爲政之綱也夫綱雖大不知舉而何教化之能興故臣願

陛下興教化自擇職司始而天下可以漸治矣　陛下戒愼天災震懼日食淫雨煩氣江漢之失度而思聞告戒消伏之理推劉向之傳考呂氏之紀夫劉向之說五行事各以類感滯於一方而不得相通呂氏之書隨其時月而指其必然之災異其言皆迂怪而難信安足爲　陛下道哉臣聞災異之說有二有可得而推知其

所從來者有不可得而推知其所從來者可得而推者人之所爲也不可得而推者天之所爲也人之所爲者不過盜賊竊發於山林戰敗兵破而不得復盜賊竊發是衣食不足政暴吏苛之罪也戰敗兵破是任人不明將不爲用之過也至於天之所爲凶旱水溢蟲蝗霜雹日食地震星辰隕墜是安知其所由來哉譬如人之將病也五臟失據於中而變見動於四肢發於百體醫者切其脉而觀其色曰是心病也肺病也是皆可也至於鬼嘯於梁捐瓦於堂而動之曰是心也是肺也則可乎要以人之神明精爽消散而不克是以邪物得而干之而倘何擇乎心肺之間哉古之儒者其

論災異則皆有此弊也今夫使國家治強人民乂安和氣充實於天地之間則天爲之明地爲之靜三辰爲之光及其少衰則天地三辰皆將虧缺而不寧頃者水冒京城日食季夏江河淮汴破溢爲害地震生毛水變赤色此數事者使董仲舒劉向之徒出而論之必將指國政之一二以爲其驗而臣以爲不然蓋臣非以爲不爲災也以爲天地之遠而至於爲之變動此非一事之所能致蓋天下之政皆失其中是以其氣衰弱挫沮而不振以至於是以爲陛下歷數天下之弊而使　陛下盡修之耳非正陽之月而伐鼓救變說者以爲非經然而要以爲陰助陽則雖非正陽而不爲失

當盛夏之月而論囚報重說者以為非古然而要以使犯法者無久繫之獘而民覩為惡之速及則雖當盛夏而亦不為非也　陛下愍四方之未治而推其源於京師知淫巧僭差之失度而欲各為之節然而未獲所以禁之術是以欲先治內則惑於何以為京師之言欲先擿姦則惑於不撓獄市之說今　陛下任人使為京兆如得趙廣漢耶則安可以不撓獄市而拘其才如得黄霸耶則安可以擿姦而責其效各隨其才而用之則可以至於治矣然臣以為莫若先之以猛而終之以寛頃者　陛下之所任皆能猛矣而不能寛皆得其始矣而不知其所以為繼之術是以京兆之政

大則斬戮小則笞箠歷歲百餘而終無有一人能以仁恕爲治者故其民狃於刑戮而不知懼然而不先之以猛臣又恐仁恕之不能折夫強暴也　陛下深探儒老之是非而至於漢文漢武治亂之際臣聞老子之所以爲得者清淨寡欲而其失也棄仁義絶禮樂儒者之得也尊君卑臣而其失也崇虛文而無實用然而道之可以長行而無弊者莫過於儒術其所以有弊者治之過也漢文取老子之所長而行之是以行之而天下豐漢武取儒者之失而用之是以用之而天下弊此儒老得失之辨也昔者周公遭變而作豳詩辭言王業之本而要以自明其身之無罪是以謂之國風

宣王北伐其事雖大而其詩非大雅之體是以謂之小雅故夫寬柔敦厚者大雅之風也慷慨勁正者小雅之文也以此推之則可以辨矣三代之時財賦之用有司掌之而冢宰特因其歲之凶豐上下而制其用度多少之節蓋亦如此而已至於有唐正觀開元之際猶委之郎官其後四方用兵而財用之間亦遂有權時應變之事郎官有所不能辦故立使以主之及其末世使又不能辦則又舉而歸之宰相是以李德裕之徒皆治其事以一有司之職而累天下之宰由此言之則夫陳平韋賢之論有不妄矣若夫泉貨之輕重始於周景王而後有二品之差命秩虛實始於魏武帝而

後有六等之號水旱蓄積之備莫如李悝之平糴邊陲守禦之方莫如張仁愿之築城圜法九府之名自天府太府王府內府外府職內職金職歲職幣皆列職於周官樂語五均之義天子取諸侯之士以爲國均則市不二價其說見於河間獻王之禮此數事者皆非有益於當世之務是以不足深論也伏惟　陛下諮諏國事丁寧反覆終而復始不忍捨去故於制策之終則又曰富人彊國尊君重朝弭災致祥改薄從厚此皆前世之急政而當今之要務子大夫其悉意以陳毋悼後害夫　陛下丁寧激切至於如此而臣何敢不爲　陛下申重其說今　陛下憂思天下若此其至而

其功不就者豈非無其人之故耶臣聞求賢不如變俗俗所不悅
雖有賢者將不能自立俗苟好之雖天下之人將從風而靡昔
太祖好武略則天下之猛士出而爲之兵　太宗好奇謀則天下
計畫之士出而爲之慮　眞宗好文而愛儒則海內無有不學以
待上之所使令　陛下公卿滿朝進趨揖讓文學言語上可以不
愧於古人而下可以遠過於近世者以　陛下誠好之也然　陛
下中夜不寐起坐而思之天下之事所未能舉者凡有幾何府庫
空虛入不支出而不能均兵革怠惰驕而不爲用而不能制閑田
滿野民食不足而不能闢河水歲決北人受害而不能救戎狄放

肆邀取金幣而不能服　陛下治天下而至使不察有如此者

得非　陛下所好非所當用耶狄仁傑有言文士中不足快意要

得奇才之士與共天下乃進張柬之以代李嶠蘇味道而臣亦以

爲治天下當得渾質剛直不忌不克不擇劇易之人而任之如漢

之絳侯條侯魏之賈逵鄧艾晉之温嶠周訪唐之婁師德郝處俊

得此數人唯　陛下所欲用之致之　朝廷之上則賢人益親當

之邊境之上則惡言不至如此人者　陛下豈不欲用之故臣願

陛下改易所好以變天下之俗則當今之文人皆可使爲朴直之

士　陛下何憚而久不爲也臣本布衣書生　陛下授之以爵祿

而又親策之於廷　陛下罄竭所疑以問之於臣而臣何敢不盡
其中之所懷以輸之　陛下凡制策之所以問臣者臣謹已直率
愚意竊揣而妄論之矣才智短淺不足以上塞　明詔無補於聰
明之萬一謹俯伏待罪然臣之微意所欲丁寧而致之　陛下者
終欲爲　陛下畢盡其說臣聞聖人欲有其富則保之以儉欲久
其尊則守之以謙欲安其佚則行之以勞欲得其欲則濟之以無
欲此四者聖人之所以盡天下之利而人不以爲貪極天下之樂
而不爲人所厭者也老子曰聖人以其無私故能成其私由是觀
之則夫欲樂其富而用之以奢者其富必亡欲大其尊而用之以

倨者其尊必替欲享其佚而用之以惰者其佚必窮欲獲其欲而用之以肆者其欲必廢是以聖人處衆人之所惡而使天下無異辭然後全享天下之利而無所失故夫斥弃金玉不貴錦繡非以爲愛財也畏大臣禮小臣非以爲尚賢也雞鳴而起日昃不食非以爲集事也屏聲色放犬馬非以爲美名也凡所以深服天下而殖其爭心焉耳伏惟 陛下覽策之始以無忘憂懼之心則又覽其終以去其太甚消天下不平之意二者既行則夫臣之所言者舉可以漸用而無弊矣惟 陛下愼思之力行之無以臣言爲妄恭臣之所見當今天下之事未有急於此者 陛下幸而留意天

缺尾葉

下不勝幸甚謹對

十六國春秋書後